ベルナデッタとロザリオ

BERNADETTE ET SON CHAPELET

ANDRÉ RAVIER S. J.

DON BOSCO SHA

アンドレ・ラヴィエ 著

ヌヴェール愛徳修道会 訳

ドン・ボスコ社

Original Title:
Bernadette et son chapelet
by
André Ravier S. J.

ご出現のころのベルナデッタ

わたしはロザリオの祈りしか知りませんでした

マッサビエルの洞窟

わたしはできる限りじっと
そのかたをみつめていました

牢獄跡の小さな部屋

お金持ちになることが
しあわせになることではありません

初聖体のころのベルナデッタ

イエスは　この虚無にすぎないわたしを
大いなる者としてくださいました
そうです　聖体拝領によって
わたしは　いわば神になるのですから

ベルナデッタの十字架とロザリオ

イエスこそ　唯一の目的
イエスこそ　唯一の師
イエスこそ　唯一の模範
イエスこそ　唯一の導き手
イエスこそ　唯一のよろこび
イエスこそ　唯一の富
イエスこそ　唯一の友！
おお　イエスよ！
今からは　あなただけがわたしのすべて
わたしの「いのち」でありますように

スール・マリー・ベルナール

一瞬たりとも　愛さずに生きることはできません

聖十字架病室 ——「白い聖堂」

おおイエスよ
あなたを愛することができるようにしてください
わたしを愛し　お望みのままに
存分に十字架に釘づけてください

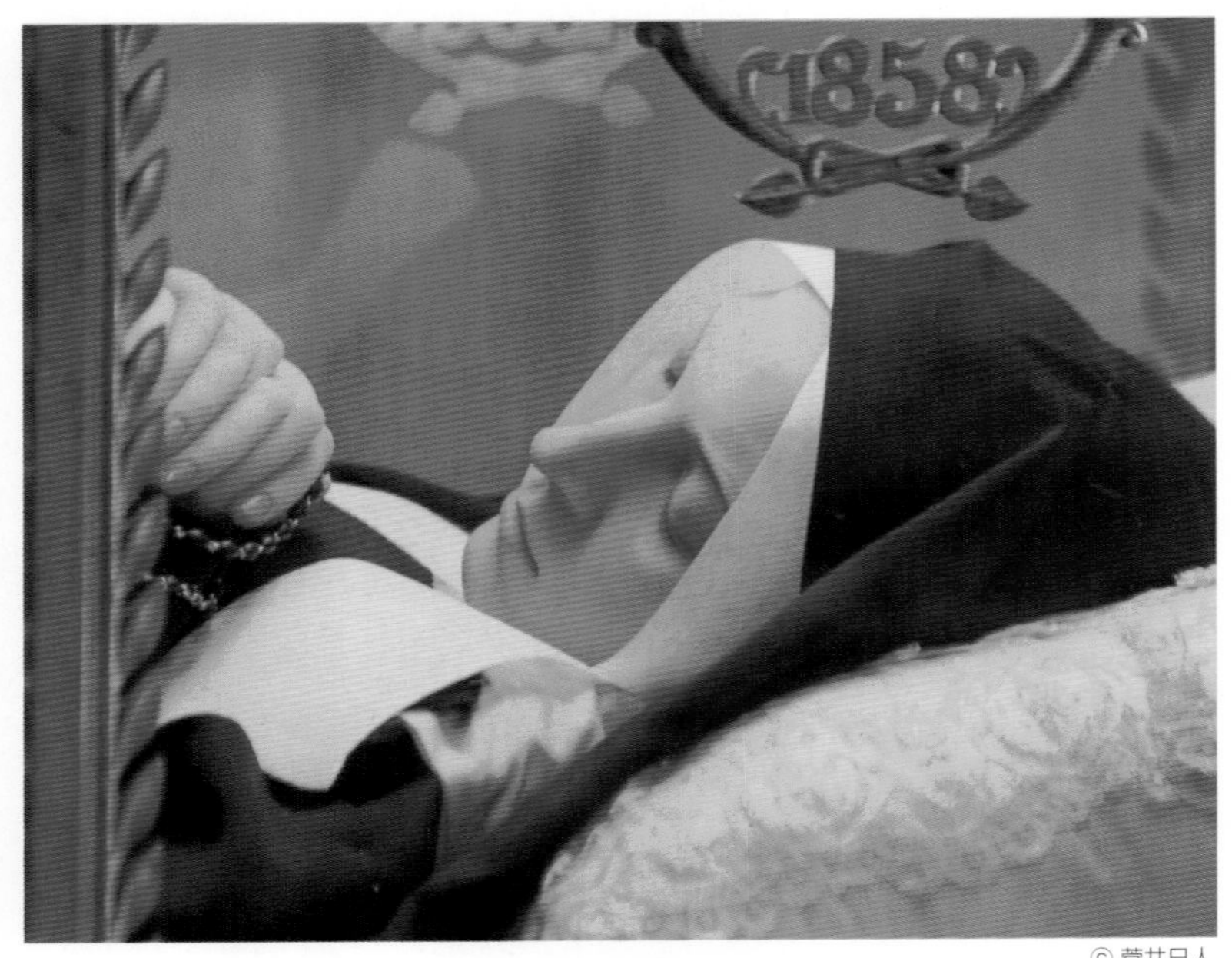

ヌヴェール本部修道院聖堂のベルナデッタの遺体

わたしのイエス
おお！　わたしは　どれほど深く
主を愛していることでしょう

はじめに

一九三三年十二月八日、聖母の無原罪のおん宿りの祝日を選んで、当時の教皇ピオ十一世聖下は、ルルドで十八回にわたって聖母マリアのご出現に恵まれたベルナデッタ・スビルーを、聖人の位に上げられました。この一九三三年は、キリスト教の長い歴史の中で、初めて救い主のみ業を記念する特別聖年がもうけられた年で、キリストのご死去が三十三歳と推定されるので、一九三三年はちょうど千九百年目にあたっていたわけです。

ピオ十一世は、救世の恵みを特別に受けた者として、この記念すべき年にベルナデッタを列聖なさったのでしょう。

ベルナデッタは一方では、地上にいるときからすでに天のよろこびを体験する恵まれた人でしたが、他方では、彼女は最も単純な魂の持ち主であって、修道会の創立者でもなく、いわゆる程度の高い神学や神秘生活の書物を書いたり、指導者に奨められて霊的な日記を綴ったりすることもなく、また生まれたときからひじょうに貧しい生活を送っていたので、高名な人のように地位や財産や豊かな文化的生活を捨てるといった英雄的な行為をする機会もなかったのです。その意味でも、ベルナデッタはまことに素朴な聖人だったと言えるでしょう。

ベルナデッタの聖性は、マッサビエルで受けた聖母のメッセージを生きることでした。つまり、償いをし、苦しみを甘んじて受け、罪人のために祈り、聖母ご自身が教えてくださった祈りを唱え、ロザリオを繰りながら信仰の奥義を絶えず黙想することでした。

しかしベルナデッタが列聖された当時、彼女はまだあまり知られていない聖人だったのです。もちろん、ルルドの巡礼のもとになったマリアの出現を受けた者、また不思議な泉を自らの手で掘り当てた者、貧しい牧童としてベルナデッタは知られていましたが、その聖性については、まだそれほど研究も行われていませんでした。ベルナデッタは、ルルドの出来事の中に隠れていたのです。

また、当時ベルナデッタよりも関心を集めていたもう一人の若い聖女がいました。

リジューの聖テレジアです。テレジアのほうがベルナデッタより後に生まれたのですが、より早く一九二五年に列聖されました。テレジアは詩も自叙伝も書いていましたし、その時代が求めていた文章で〝霊的幼児の小さい道〟も教えていました。テレジアは〝天からバラの花びらの雨を降らせる聖女〟として、多くの人びとに親しまれていたのです。

この〝小さき花〟のテレジアに比べて、ベルナデッタのほうはあまりにも単純でしたし、彼女自身ヌヴェール愛徳修道会に入るとき言ったように、聖人になってもさらに隠れていたため、ベルナデッタについては、それほど語るべきことがない、と思われていたようです。

しかし第二次世界大戦の直前のころ、テレジアもベルナデッタも、新しい別の角度から研究されるようになったことがありました。それによると、この二人の聖女の修道生活中の苦しみは、もっぱら長上の無理解によるものとされました。つまり二人の聖女の徳の高さを紹介すると同時に、その周囲の人びと、修道生活の責任者たちの不徳も指摘されたわけです。もちろん、それがまったく根拠のないことではなかったとしても、そのことによって、たまたま聖人のかたわらに置かれた人たちの足りない面が、逆にクローズアップされる結果となるわけですから、もう少しそれらの人びとの立場にも理解の目を注ぐべきではなかったか。その役割についても、言われるほど善意に反するものではなかったのではないか？　とにかく、最近になって、当時の行き過ぎは訂正されるようになりました。

一九五八年、ルルドでのご出現の百年目、ベルナデッタの列聖式の二十五年目、ルルドはますます多くの巡礼者が集まってくるようになっていました。それと同時に、ルルドの百年前の出来事や、また続いて起こったルルドの不思議な事例が詳しく研究されるようになって、ベルナデッタのほんとうの姿も、もっと明るみに出てきました。それもただルルドでのベルナデッタだけではなく、彼女の一生を通じて、ルルドでもヌヴェールでも、毎日の生活をもってルルドのメッセージを伝えるベルナデッタ。また彼女が親戚や友人に出した手紙、あるいは語ったことば、いわゆる〝ベルナデッタ語録〟、さらに黙想ノートや、紙切れに書きつけたことばまでが出版されるようになりました。

ベルナデッタに取り次ぎを願う信心も増えてきました。巡礼は単にルルドにとどまらずヌヴェールまで――ベルナデッタの遺体が安置されているヌヴェールまで足をのばす人が多くなりました。それとともにベルナデッタを世に紹介する著述家も現れるようになったのです。

特に、大学の教授でジャーナリストでもあるルネ・ローランタン神父は、ルルドについての専門的な研究書を出していますし、またベルナデッタの"logia"（ギリシャ語で〝語録〟――福音書が書かれる前に、イエスの"logia"があったとされている）、さらに大衆向きの伝記（邦訳『ベルナデッタ』ドン・ボスコ社）も出しています。もう一人の研究者がいますが、それはイエズス会のラヴィエ神父です。ラヴィエ師はイエズス会の高等学校長、管区長などの経験者ですが、彼は長年、無学なベルナデッタの魂の豊かな霊的宝を、より深く理解しようと努め、その研究を続けました。「ベルナデッタを深く知っているのは、おそらくラヴィエ神父でしょう」と、ヌヴェール愛徳修道会の元総長はわたしに話してくれました。

『ベルナデッタとロザリオ』と題するこの本が初めて出版されたのは、一九五八年、ルルドでのご出現の百年目を記念する年でした。霊的な人であるラヴィエ神父は、直接マリアによって教育されたベルナデッタが、ただひたすらにイエスへの道を探り、イエスをより深く愛し、イエスの世の救いのための苦しみに心を合わせようとする、その霊的な道を述べる目的で書かれたのです。

ご出現の百年記念のために書かれたこの本が日本で紹介されるのは、たまたまベルナデッタの列聖式の五十年目、また二回目の贖(あがな)いの聖年の翌年にあたります。これも奇しきめぐり合わせと言うべきでしょう。最近はルルドを訪れた経験のある日本の信者が毎年多くなり、ベルナデッタを愛する人びともひじょうに増えています。ベルナデッタが修道生活を送ったヌヴェール愛徳修道会は、前から日本に支部をつくり、多くの日本人の会員がいますし、もう一つの女子修道会、ベタニア修道女会は聖ベルナデッタを保護の聖人としています。しかも〝ベルナデッタ〟の霊名をもつ日本のカトリック信者の数も決して少なくはありません。

今日、日本でも他の国々でも、次第に罪の意識が薄れ、ともすれば贖いの意義、罪のための償いの意味が忘れられがちなとき、ルルド、ベルナデッタのメッセージはわたしたちにこれを思い出させることになるでしょう。また、霊的な〝流行〟を超えて、ベルナデッタのようにロザリオを信心深く唱えれば〝美しい女のかた〟、マリアを眺めながら、神の子キリストの深い奥義、すなわち馬小屋に生まれ、カルワリオを経て、栄光に入られるまでの主のご生涯を毎日思い出すことになり、ベルナデッタとともに、罪人のために祈ることにもなるでしょう。

一九八三年十二月　慈生会ベタニアの家にて

E・ミルサン

目次

ベルナデッタとロザリオ

序

ベルナデッタは倦むことなく、いつもロザリオの珠をつまぐりながら祈っていた。「粉ひき小屋」あるいは「牢獄跡の小さな部屋」[1]にいたころの、ごく単純なかわいい少女のときにも、バルトレス[2]で羊の番をしていたときにも、マッサビエルの洞窟であの「女のかた」から秘密を打ち明けられたときにも、ルルドの病院付属の小さな学校[3]の寄宿生であったときにも、ヌヴェール市サン・ジルダールにある本部修道院[4]で、志願者・修練者・誓願者として生きていたときにも、臨終の床で耐えがたいほどの肉体的な苦しみ、それ以上に恐ろしい、すべてから見捨てられたように感じた霊的「孤独」のさなかにあったときにも……。

「粗末なロザリオ」であっても、修道者になったときに受けた荘厳なロザリオであっても、それは、ベルナデッタのロザリオであることに変わりはない。ベルナデッタのロザリオに触れること、それを手にしてみることは、人びとにとって恵みであった。そのために、ついには盗まれてしまうことさえあった。あたかも、そのロザリオのひもや鎖に、また珠や十字架に、ベルナデッタの魂が宿されてでもいるかのように……。

なぜ「あたかも」と言うのか。それは、ベルナデッタにとってロザリオは、その信仰、自分が受けた恵み、使命、自分自身の聖性と、使徒的働きを確かなものとする道具――いわば、神から与えられた霊的な生きざまを特長づける「しるし」だったからである。

その生涯のすべては、ベルナデッタがつまぐるロザリオの祈りのリズムに合わせて展開されていく。すべては、ベルナデッタが倦まずたゆまず繰り返し唱えたロザリオの十字架のしるし、「主の祈り」、「聖母マリアへの祈り」、「栄唱」から、その意味を汲み取る。

ベルナデッタの摂理的な召し出しとは、ロザリオの祈りをとおして、一つのすばらしい霊的な小道をわたしたちに示すことではないだろうか。最も単純・素朴な人びと――読み書きもできず、方言しか話せない羊飼いの少女たちにも開かれた一つの小道を――。しかしそれは、光と、ひじょうに純粋な愛の道をとおって、神秘的な天国にいたる小道ではないだろうか。

さらにまた、ベルナデッタの摂理的な召し出しとは、すべての知識、すべての富、すべての宝として、ただロザリオの祈りと、聖母マリアに対するひたむきな愛しかもっていなかった一人の魂に起こった出来事の完璧（かんぺき）な実例を、わたしたちに示すことではないだろうか。

本書では簡単に、ベルナデッタのこの霊的な歩みをたどることとする。ベルナデッタとともに謙虚にロザリオをつまぐりながら、ボリーの粉ひき小屋[5]から、ヌヴェールの病室にいたる道をたどることによって、わたしたちは驚くべき発見の道を歩むことになるだろう。

その道はやがて、感嘆すべき道、聖母マリアがかつて歩まれた道そのもの、すなわち、無原罪のおん宿りから被昇天にいたる恵みの道――お告げの秘義からご受難とご復活の秘義、ナザレからカルワリオにいたる贖(あがな)いの道――そして最後に、まったく目立たない、貧しい、無知な、しかも病気がちな一少女の魂が、天においてすべてを治められるおん父の栄光にいたる神の愛の道として、その姿をはっきりと現してくることになるだろう。

ボリーの粉ひき小屋からマッサビエルへ

「わたしは、ロザリオの祈りしか知りませんでした」

ベルナデッタの伯母ベルナルドは、まだ子どもであった自分の代子について、次のように語っている。

「ベルナデッタは、主の祈りと、聖母マリアへの祈りと、使徒信条を知っていました（それらの祈りを方言でも、ラテン語でも知らなかったので、フランス語で唱えていました)。ベルナデッタはたまにしか学校に行きませんでした。つまり、(家族の中で長女であったため) 子どもたちのお守りをしなければならなかったので、あまり学校に行くことはできなかったのです。そのため、ベルナデッタは読むことができず、ミサ典書の代わりに小さなロザリオを持っていました。」

貴重な打ち明け話である。「牢獄跡の小さな部屋」に住んでいたころの、同様に貴重な思い出が、さらにそれを補う。

すなわち、フランソワー・スビルーの家族は、夜しばしば、十字架とロザリオが掛けられている暖炉の前に集まった。そのとき母親が祈りを先唱した(ときにはベルナデッタがその代わりをした)。それは貧しい者の祈り、パンはないけれども、神の栄光を糧として生きている者の祈り、すなわち、主の祈り、聖母マリアへの祈り、使徒信条であった。

「わたしは、ロザリオの祈りしか知りませんでした」。スール・マリー・ベルナールは、後にこう言う。

ベルナデッタの霊的な歩みは、その生活とともに、このようにして始められていく。カトリックの信仰告白、イエスご自身が使徒たちに教えられた祈り、恵みに満ちたおとめマリアに対する天使のあいさつ。それに十字架のしるし——わたしたちが三位一体の神のものであることを表す美しい動作。そして、天国の永遠の賛美である栄唱。

それで全部？　そう、それがベルナデッタが知っているすべてであった。カトリック要理も、まだ学んでいない。まだミサにあずかるためのミサ典書も持っておらず、主任司祭が唱える難しい聖務日課のことも知らない。まだ信心の「実践」の仕方も知らず、霊的生活への手ほどきも受けていない。貧しい粉ひき屋の娘、すでに大家族で、母親が働きに出かけなければならない家庭の長女、病気がちで、お腹がすいていても食べるものもない子ども……そのベルナデッタにとって、救いの道を正しく歩むために、それ以上重荷となる知識が必要だろうか。いや、要らない。

それだけがすべて、それだけでよかった。しかし、その心はひじょうにまっすぐで、きよらかであるため、ベルナデッタは自分自身のうちに、ロザリオの祈りとともに、すべてである神、天と地のすべてを抱いている。

確かに、ベルナデッタは、自分の貧しさを深く自覚している。ときには家にパン――「日ごとの糧」――がないことをよく知っている。たまたま学校に行くことができるときに、シスターたち自身が――もちろん悪意からではないが――ベルナデッタの無知をどうすればよいのかよくわからないで困っていることも、十分知っている。十三歳になっても、アルファベットをつっかえながらしか言えない。偶然、妹のトワノンとともにカトリック要理を勉強しに行くときにも、ベルナデッタは無意識のうちに「自分が一番できない」と思い、他の子どもたちの後ろに座るのである。

ベルナデッタがいちばん望んでいること、それは、人びとが――そして日曜日に説教をする主任司祭さえも――自分のことを忘れてくれることではないだろうか。

しかし、天のおん父と聖母は、ベルナデッタのことを忘れられるはずはない。

ベルナデッタはバルトレスに向かう。それは、できる限り規則正しく学校に行き、カトリック要理を勉強するためである。かつてはベルナデッタの乳母であり、今はその主人であるマリー・ラギュー・アラヴァンは、しばしば聖体拝領をし、ロザリオ三環を日に三度も唱えるほど信心深い女性である。また、小教区の司祭アデル師は、観想修道院に入ることだけを夢みている、ひじょうに聖なる司祭である。

しかし、ベルナデッタは農場犬であるピグーを連れて、ピュヨノの牧草地で羊の番をしなければならない。そして、その羊飼いの仕事は、ベルナデッタの力量にちょうどぴったりである。

一日中、羊小屋の周囲の牧草地で草をはむ羊の番をしながら、ベルナデッタは樹齢百年の栗の木の下に、石で小さな祭壇をつくることに夢中である。そこに聖母のご絵を置き、その前で「母親が与えた、ひもでつながれた黒い珠(たま)の、粗末なロザリオ」を使って祈りを唱える。その指が珠から珠へと動いていくとき、この小さな羊飼いの子どもの魂は、思いをひそめ、神を見つめる……。

「天に……そして、わたしの前に広がる、このすばらしい大自然のいたるところにおられるわたしたちの父よ。わたしたちの日ごとの糧を今日もお与えください。あそこ、ルルドのあの湿っぽい牢獄跡の小さな部屋に残っている家族に、体の糧をお与えください。でも、わたしには、天のパン、わたしがこれほど待ち望んでいる初聖体のホスチアを与えてください。わたしたちの罪をおゆるしください。聖マリア、罪深いわたしたちのために祈ってください。この苦しみのすべて、『それをおゆるしになるのは、神様です』。栄光は父と子と聖霊に……。」

それ以上、バルトレスでの生活を我慢することができなくなり、学校へ行って、カトリック要理を勉強し、愛するシスターたちのところで初聖体の準備をするために、ある日、ベルナデッタはルルドへ戻っていった。

聖母のご出現のときが、今まさに訪れようとしていた。

「ご出現」のロザリオ

「やっと片方の靴下を脱ぎ始めたばかりのとき、嵐のときのような風のざわめきが聞こえてきました……」。わたしたちは皆、ご出現の感動的な物語を知っている。

ご出現の種々の場面、すなわち洞窟の「女のかた」の動作やことば、ベルナデッタや見物人の反応が、一つ一つ詳細な歴史の記録として再構成され、すべてはこと細やかに記述された。

この正確で、しかも明晰で透明な記述から、ベルナデッタのロザリオが果たす役割がくっきりと浮き彫りにされてくる。それは無言のうちに、どれほど雄弁に語りかけていることだろう。

一八五八年二月十一日、もちろん、この日、ベルナデッタはロザリオを手にしている。ベルナデッタがロザリオを手離すことは決してない。驚くべきことに、ご出現になった「白い服を着た若い女のかた」の右腕にも、同じようにロザリオがかかっている。「そのロザリオの鎖は黄色で、珠は白く、大きく、珠と珠の間はかなりあいていました」。

ベルナデッタは次のように語っている。

「『あれ』[6]をみたとき、わたしは目をこすりました。自分が見まちがっていると思ったからです。わたしは、ポケットに手を入れ、ロザリオを取り出しました。ひざまずいて、十字架のしるしをしたいと思いました。けれども、手を額まで上げることはできませんでした。手は下におりてしまいました。

若い女のかたは、両手の間に持っておられたロザリオをとって、十字架のしるしをなさいました。わたしの手は、ふるえていました。わたしは、十字架のしるしをしようと、もう一度試してみました。今度はできました。その後は、もうこわくなくなりました。

わたしは、ロザリオの祈りを唱えました。その若い女のかたは、ご自分のロザリオの珠をつまぐっておられました。」

ベルナデッタは、次のように説明している。

「(主の祈りと聖母マリアへの祈りの間) その白い服を着た若い女のかたは、唇を動かされませんでした。けれども栄唱の祈りのときには、頭を下げ、それを唱えておられるのがはっきりと見えました。」

「わたしがロザリオの祈りを終えたとき、そのかたはほほ笑みながら、わたしにあいさつをされました。そして、岩のくぼみに退かれ、あっという間にその姿は見えなくなってしまいました。」

一言も語られず、ただほほ笑みだけ。しかし、ともにいることによる心の交わりが始まる。そして、多くのことはすでに光に満ちあふれている。ロザリオの祈りを始めるときにいつもする、大きな、美しい十字架のしるしを教えられ、ベルナデッタはその後、これを決して忘れることはない。その魂が恵みのいのちの中で成長していくにしたがって、ベルナデッタは、ますます、驚くほど深い信仰に満ちた心をもって、このしるしをする。そして十字架のしるしは、常に、よりいっそう、三位一体、受肉、贖(あがな)いの三つの礼拝すべき秘義を要約するものとなっていく。生涯の終わりまで、ベルナデッタは、深い潜心と魂のあふれを感じさせるような、ひじょうに美しい十字架のしるしをする。こうして、十字架のしるしは、その霊的生活を特長づけるものとなる。

また、「生き生きとした、ひじょうに若い、光に包まれたその女のかた」は、地上の祈りである「主の祈り」と「聖母マリアへの祈り」の間は黙っておられるが、天上の祈りである「栄唱」のときには、尊敬をこめて「頭を下げ、それを唱えておられるのがはっきりと見えた」のである。

この第一回目のご出現の間に、ベルナデッタは、特に一つのことを体験した。

「ロザリオを唱えながら、わたしは、できる限りじっと、そのかたを見つめていました」。その記録の中には、こう書きとめられている。

　この日ベルナデッタと一緒にいたのは、妹のトワネットとその友人バルーオンだけである。しかし翌日、翌々日、そしてそれに続く日々、洞窟には、ベルナデッタの周囲に見物人がおり、その数は増していく一方である。そばに居合わせたこの人びとは、脱魂状態でご出現になったかたをみているベルナデッタの変容について、やがてわたしたちに語ってくれる。しかし、脱魂が終わっても、その変容の何ものかが残る。すなわち、洞窟でロザリオを唱えながら、ベルナデッタは心をこめて、熱心に、聖母にじっと目を注ぐことを学んだ。ご出現が終わると、目を閉じて、心のうちにある姿――それは、十字架に釘づけられたイエス、あるいは聖体のうちにおられるイエス、聖母、あるいは自分が身近に感じている聖人の一人かもしれない――に、霊的な眼差(まなざ)しを注ぐだけで、ベルナデッタには十分であった。このようにして、その魂はたやすく、「単純な眼差しの念禱」、あるいは「単純に耳を傾ける念禱」に入っていく。

　その後、洞窟から離れたところからでも、ベルナデッタが祈っているのを見た人は皆、そのとき、ベルナデッタの姿全体、その存在全体から、現にだれかがそこにいることが、はっきりと感じられたと言っている。

聖テレジアが『完徳の道』の中で話している人物のことが思い起こされる。聖テレジアは次のように書いている。「わたしはその人に、どのような祈りを唱えているのかと尋ねました。そして、その人が、心をこめて、一生懸命に主の祈りを唱えながら、純粋な観想の恵みを受けていること、また、主が、その人をご自身に一致させるところまで導いておられることを悟りました」。

第二回目のご出現は、二月十四日、日曜日のことである。それは、ほとんどのご出現の場合と同じように、ロザリオの祈りを唱えるリズムに合わせて展開される。「第一連の終わりごろ」、ベルナデッタは友人にはっきりと言う。「あのかたを見て。ほら、右腕にロザリオをかけていらっしゃる……わたしたちをじっと見ていらっしゃるわよ」。それからベルナデッタは立ちあがり、その不思議な女のかたのほうに向かって大胆に歩いていき、そのかたに聖水をふりかける。そのかたはほほ笑まれるが、遠ざかろうとはされない。ベルナデッタは再びロザリオを唱える。さらにもう一連唱えてから、脱魂する。ひじょうに深い脱魂状態であるため、女のかたを見つめているベルナデッタを洞窟から連れ戻すために、ニコロは母親と兄のアントワンヌの助けを必要とするほどであった。家に向かう途中、なおも脱魂状態は続く。それは、ニコロの粉ひき小屋の入り口に来るまで続いた。

これらの場面を見た人は皆、口をそろえて、脱魂中のベルナデッタの顔はひじょうに美しかったと言っている。アントワンヌ・ニコロは、「わたしが今まで見たすべてのものの中で、いちばん美しかった」と言った。その美しさは、まさに出現されたかた自身の美しさの反映にほかならない。

アントワンヌが粉ひき小屋に戻ったとき、岩のくぼみのところに何を見たのかと尋ねると、ベルナデッタは単純に次のように答える。「とっても美しい女のかた。そのかたは、腕にロザリオをかけて、両手を合わせていらっしゃるの」。後日ベルナデッタは、「その女のかたは、わたしと一緒にロザリオを唱えていらっしゃいました」と証言する。

それ以後、ご出現の儀式、つまりご出現の「典礼」の形は定まった。ご出現はいつも、ベルナデッタとベルナデッタをとり巻く人びとの指がロザリオを繰っている間に、しかも、変容したベルナデッタの顔のすばらしい美しさが、ともに居合わせる人びとに、そこにどなたかがおられることを伝える、その信仰の雰囲気の中で展開されていくようになる。

ベルナデッタの脱魂の場面の一つに居合わせたある司祭は「そのとき、すべての人は、いわば、ご出現になったかたが現にそこにおられることを感じていました」と言う。祈り、潜心、「天上」の雰囲気が、すでに洞窟を包んでいる。

「軽蔑し、嘲笑(ちょうしょう)するために」そこにやって来たある人は、ベルナデッタが(その「女のかた」にならって、何度か)十字架のしるしをするのを見て、次のように言う。「天国で十字架のしるしをするとすれば、このようにしかできない」。

あるときには、ロザリオをもってご出現が始まる。たとえば、三回目の聖母マリアへの祈りのとき、あるいは一連を唱え終わったとき、あるいはまた一環全部を唱えた後に、その女のかたがご出現になり、ベルナデッタは脱魂状態に入る。あるときには、何ごとかが起こる前に、ベルナデッタとともにいる人びとが、ロザリオの三環全部を唱える時間があることもある。あるときには、脱魂によって祈りが中断されることもあり、また他のときには、脱魂状態の中で祈りが続けられることもある。脱魂が終わると、ベルナデッタはロザリオの祈りを終えるか、あるいはまたロザリオをポケットにしまう。ときには、ご出現になったかたをみた後、再び聖母マリアへの祈りを続けることもある。三月四日、木曜日――十五日間の訪問の最後の日――洞窟を去る前に、ベルナデッタの指はロザリオ三環を繰り返しつまぐる。

これらすべての証言を読むとき、昔のある神秘著作家の、次のような意味深いことばについて考えさせられる。

「世紀の流れの中で、人びとは新しい詩編集[7]をつくり出した。すべては主の祈り、聖母マリアへの祈り、使徒信条をもって構成されている。最も無知な人びとでさえ、だれでも覚えており、ひじょうにたやすく唱えることができるこの二つの祈りをもって織りなされたこの新しい祈りの本は、なんと貴重なものだろうか。これを用いて、新約聖書および旧約聖書中の最も偉大で、最も聖なること、最も敬虔で、最も感動的な出来事を、常に霊と心のうちに保ち、また口にするがよい」。

十八回中の何度かのご出現において、ベルナデッタのロザリオは、いわば、他の機会よりもなおいっそう意味深い役割を果たし、よりいっそう際立っている。

二月二十一日（第六回目のご出現）、この主日の脱魂は特に顕著なものであるが、その間、女のかたとの親しい対話は、そのかたを見つめているベルナデッタがロザリオを唱えることを妨げなかったようである。ベルナデッタは、聖母を見つめながら、初めて深い悲しみの表情を示す。後に、このことについて次のように説明している。

「その女のかたは、一瞬わたしから目をそらせ、わたしの頭越しに、はるかかなたに目を向けられました。そこから再びわたしのほうをご覧になりました。そこで、なぜみ心を痛めておられるのですかと尋ねると、そのかたは、『罪人のために、祈りなさい』とおっしゃいました。[8]」

毎日唱え続けてきた「罪深いわたしたちのために祈ってください」という単調な

祈りが、突然ベルナデッタにとって、どれほど重い意味をもつものとなったことだろう！　この日から、聖母はベルナデッタに、その「使命」が何であるかを示し始められた。それは、人びとの心に罪が何であるかを今一度理解させ、罪人のために祈らせること、そしてベルナデッタ自身も罪人のために祈ることである。

二月二十四日、水曜日（第八回目のご出現）、この「使命」は明確になる。その女のかたが、ベルナデッタに、だれにも決してもらしてはならない「三つの秘密」を打ち明けられたのは、この日か、あるいは前日のことであった（伝記作家はこの点について躊躇（ちゅうちょ）している）。

脱魂中に、ベルナデッタの表情は何度か暗くなった。「悲しい知らせを受けた人のように、ベルナデッタは腕を下げ、その頰にはあふれるように涙が伝わっている。へりくだった姿勢で、洞窟のくぼみに向かう斜面を、一歩一歩地面に接吻（せっぷん）しながら、ひざまずいたままのぼっていく。野バラのところまで来ると、もう一度ひれ伏し、それから、まるで神秘的なお告げのことばを受けるためであるかのように、洞窟のごつごつしたくぼみのほうに頭を上げる」。それから、ベルナデッタは群衆のほうを振り向く。そして、お守りの上に手を合わせるときのように、ロザリオを持ったまま両手を合わせ、その女のかたから受けたメッセージを繰り返す。

「償い！　償い！」

二月二十六日、金曜日、約束された「十五日間」の九日目、ベルナデッタはマッサビエルでの出会いの約束を忠実に守る。しかし、女のかたは来られない。「ベルナデッタはロザリオをつまぐりながら、長い間祈っていた」。その朝、脱魂の場面にあずかりたいと思って洞窟の周囲に集まっていた人びとは、ベルナデッタが祈っているのを見て、ひじょうに強い印象を受けたので、それまでのご出現の場合と同じように、沈黙と潜心のうちに熱心に祈っていた。

三月一日、月曜日、第十二回目のご出現があった。それ自体としてはそれほど意味のない一つの出来事が、今では群衆がどれほどベルナデッタに従い、真実に信仰を生きるために、ベルナデッタにならいたいと思っているかを示している。

信心深いルルドのある女性は、脱魂中にそれを使ってもらいたいと思い、自分のロザリオをベルナデッタに渡した。ベルナデッタはひざまずいて、「いつものようにポケットからロザリオを取り出す」。しかし、それは預かったロザリオである。十字架のしるしをするために、その小さな十字架を額にもっていこうとするが、不思議なことに手は動かなくなる。そのかたは軽くとがめるような調子で、ベルナデッタ自身のロザリオはどうなったのかと尋ねられる。ベルナデッタは「驚いて、その小さな腕をいっぱいに伸ばして、ロザリオを高く上げてみせた」。そのかたは、「あなたはまちがっていますよ。そのロザリオは、あなたのものではありません」と言われる。そこで、ベルナデッタは、自分がまちがっていることに気づき、自分のものではないそのロザリオをポケットにしまい、自分のを取り出した。それを見た人は次のように言っている。「ベルナデッタはそれを振りながら、先と同じように額の高さまで上げる。心配そうな表情は消えてなくなる。それからお辞儀をし、再びほほ笑んで、祈りを始める」。

ベルナデッタが、洞窟の女のかたと交わしたしるしの真の意味を説明したのは、脱魂が終わってからのことである。確かに、この場面から、一人ひとりが自分に合った教訓を引き出すことができよう。そこから特に浮かびあがってくることは、

「その女のかた」の望みとして、いかにわずかであっても、どのような欺瞞(ぎまん)も、どのように巧みなごまかしの影も、ましてどのようなかけ引きも、そのかたとその特別な恵みを受けたベルナデッタとの対話の中に忍び込んではならないということなのだろう。そのかたが交わりをもつことを望まれるのは、ただ貧しく、謙遜なベルナデッタとだけである。そして、そのベルナデッタを「ベルナデッタ自身」としているすべてのもの、すなわちベルナデッタがそれほど自分自身のものとして生き、そこから決して離れることのない貧しさと、みじめさの中で唱えるロザリオとだけである。

そのロザリオ……。ベルナデッタは、それをだれにも決して与えることを望まない。それは、三月一日、月曜日に受けた教訓のためだろうか。ベルナデッタは後にはっきりと言った。

「ルルドの主任神父様のところで、ある司教様（それは、モンペリエのチボー司教様でした）が、金の鎖のロザリオ（正確には、金の鎖とさんごの珠のロザリオ）をくださり、わたしのロザリオと交換することを望まれましたが、わたしはお断りしました。ある日ロザリオを唱えてから、それをポケットにしまいました。ところが、その夜、いたるところを探しましたが、それはポケットの中にも、家の中にもみつかりませんでした。そのために、わたしはとても悲しんでいました。だれかが確かにそれを持っていると言えば、それは、その人が盗ったからです。わたしは、だれにも決してそれをあげるつもりはありませんでした。というのは、ご出現のときにいつも持っていたのは、まさにそのロザリオだったからです。」

これまで述べてきたことはすべて、約束された十五日間の出会いの最後の日、そして最も長時間にわたるご出現の日でもあった三月四日、木曜日のご出現の間に、特別な意味を帯びてくるように思われる。

群衆は、朝早くからマッサビエルにやって来て、交互に聖母マリアへの祈りを唱えている。それは、今ではいつも見られる光景となった。「わたしたちは心をはずませながら、ロザリオ、聖母の連禱、マニフィカト（マリアの賛歌）を唱えました。

あたりはまだ暗く、静かで、星が輝いていました。わたしたちは起こったすべての出来事を思いめぐらし、そのために聖母をたたえました」。これは、この日の何人かの「巡礼者」が認めていることである。

これらすべての人びとが、ベルナデッタのために洞窟への道をたどっているとき、本人自身は教会にいる。「一人でいるときと同じように、潜心して」祈っている。そして、ミサにあずかる。しかし、聖体拝領の後、急いで立ちあがり、教会から出ていく。「わたしは、心の中で、教会から出て行くよう駆り立てられているように感じたの」と、後に友人の一人に話す。ベルナデッタは洞窟へ下りていく。「二人の警官が先に立って、ベルナデッタのために道を開けてくれる」。これは、第十五回目のご出現のときのことである。

「片手にろうそくを持ち、もう一方の手にはロザリオを持って、『岩のくぼみ』をじっと見つめながら、ベルナデッタは絶え間なくロザリオを唱えている。第二連の三番目の聖母マリアへの祈りのときに、その表情にすばらしい変化が起こった。人びとは、『この子は、今、何かを見ている!』と叫んだ。そして、ひざまずく。ロザリオの珠は、ベルナデッタの指の間を動き続ける。ロザリオの祈りが終わると、ベルナデッタは十字架を持っている指を三度額までもっていこうとするが、額に触れることはできない。友人の一人は次のように話している。『三回目に、ベルナデッタは美しい十字架のしるしをしました。それは、かつてこのように十字架のしるしをする人を見たことがないほど、美しいものでした。わたしは後で、なぜ三回目にしか十字架のしるしをすることができなかったのかと尋ねてみました。ベルナデッタは、〝ご出現になったかたがロザリオをつまぐり終わられたときに、初めて、ご自身十字架のしるしをされたからなの〟と答えました。

ベルナデッタは、ロザリオを唱えながら、なお長い間同じ姿勢をしていました。視線はその女のかたにじっと注がれたまま、動きませんでした。わたしは、ベルナデッタが一度も目を伏せるのを見ませんでした……』。」

しかし、ご出現は長い間続いた。ベルナデッタの指は、引き続き三環のロザリオをつまぐった。常にひじょうに美しいその顔、「かつて見たことがないような美しさ」を湛えているその顔には、あるときにはよろこびの表情が輝き、またあるときには悲しげな様子が伺われた。というのも、そのとき、洞窟の女のかたがベルナデッタに、「あわれな罪人」について話しておられたからである。

ご出現の間に二度、ベルナデッタは洞窟の中に入って行った。二度目にそこから出てきたとき、「十字架のしるしをして、しばらく祈り、再び立ち上がった。ベルナデッタはそこを立ち去り、一言も言わなかった。そして、だれも問いかける者はなかった」。

しかし、群衆は、粉ひき小屋までベルナデッタについていく。一人ひとりがベルナデッタを見、接吻したいと望んでいる。それぞれが自分のロザリオを差し出す。ベルナデッタのいとこのジャンヌ・ヴェデールは、ロザリオを三つ持ってきた。ヴェデールは次のように語っている。

「わたしはほかの人たちと同じようにしました。ベルナデッタは、わたしに『まあ、あなたまで！　えっ！　わたしに何をしてほしいの。わたしは神父様じゃないわよ！』と言いました。しかし、しばらく考えてから つけ加えて言いました。『貸してちょうだい。それらをわたしのロザリオに触れさせるわ。大切にしてね。それは、わたしがそれらのロザリオに触れたからではなく、ご出現のときに持っていたロザリオに触れたからよ』。」

ベルナデッタは約束を守った。そのかたと出会うために、十五回、毎日続けて、忠実に洞窟へ行った。「白い服を着た若い女のかた」の名前を、ベルナデッタは相変わらず知らない。主任司祭ペイラマル師が好奇心を燃やしても、無駄であった。ベルナデッタ自身が女のかたに尋ねても、無駄であった。その都度、ただほほ笑みが返ってくるだけであった。

しかし、三月二十五日、聖母のお告げの祝日がめぐってくる。ベルナデッタは、目が覚めるとすぐ、心の中で、マッサビエルへ来るようにと呼ばれているように感じる。両親に、「洞窟に行かなければなりません」と言って、エスペルージュの道をたどる。洞窟に着くと、女のかたはすでにそこにおられ、ベルナデッタを待っておられるようにみえる。ベルナデッタは次のように語った。

「その女のかたは、愛情深いお母さんが子どもたちをじっと見守るように、静かにほほ笑み、群衆を見つめながら、そこにいらっしゃいました。わたしはそのかたの前にひざまずき、遅れてしまったことをおわびしました。そのかたは、いつもわたしに対してやさしく、あやまることはありませんと、頭で合図をしてくださいました。そこでわたしは、自分が抱いている愛情と尊敬のすべてを表し、そのかたにまたお目にかかれてうれしいと言いました。心の中に浮かんできたことを皆話してから、わたしはロザリオを取り出しました。」

すばらしい心の打ち明け！　しかも、たまたま言われたことであるとしても、このベルナデッタのことばは、なんというすばらしい祈りの定義であることだろう！

しかし、今や、ご出現になっているそのかたが近づいて来られる。ベルナデッタは立ち上がって、洞窟のくぼみの下まで進んでいく。そして、ロザリオを手に持ったまま、そこに立つ。

そのとき、二人の間に忘れることのできない対話が交わされる。三度――後にベルナデッタは四度と言う――少女は、その不思議な女のかたに尋ねる。「お願いです。どうか、あなたがどなたなのかおっしゃってください」。何度かの問いかけに対して、最初女のかたは、いつものように頭を下げ、ほほ笑まれるが、何も答えられない。ベルナデッタは懇願する。さらにもう一度、「手を合わせ、自分がお願いしている恵みにふさわしくないことを知っていながらも、わたしは自分の願いを繰り返しました」。

そのとき、女のかたは、荘厳な面もちになられ、へりくだっておられるようにみえた。それまで手を合わせておられたが、今は、不思議のメダイの聖母のように、両腕を開き、下のほうに伸ばされる。そのため、純白の宝石の珠と金の鎖のロザリオは、手首のところまですべり落ちる。それから再び手を合わせて、胸に近づけ、目を天にあげて、「そのかたはわたしに、『わたしは無原罪の宿りです！』と、おっしゃいました」。

わたしたちの魂の奥底に、この場面をしっかりと刻み込もう。少女と向かい合っておられる聖母。二人とも立ったまま、熱心に両手を胸の上で合わせ、ロザリオをしっかりと持っている。一人は純白の宝石の珠と金の鎖のロザリオ、もう一人は

「ひもでつながれた黒い木の実の、粗末なロザリオ」。そして、明かされたその名前。それは、一つの秘義であり、この唯一の秘義によって、いわば、その名が名指すかたの、この地上と永遠における召し出し、その定め、そのかた自身が定義されるかのような名前である。「わたしは無原罪の宿りです」。美しい十字架のしるしをし、栄唱を唱えられるその女のかたは、こう言われた。そして、少女ベルナデッタは、身も心もすべてをあげて、「恵みあふれる聖マリア……」と答える。その瞳、記憶、精神、魂の中には、自分がみたそのかたの姿がひじょうに深く刻み込まれていたので、ベルナデッタは、訪問する人びとの前で、その後、何度でも限りなく聖母の動作を繰り返すことができ、臨終の床にいたるまで、聖母のことばを繰り返し語り続ける。そのたびに、この地上のものではない美しさをもって……。

さらに四月七日、復活の水曜日のご出現。ベルナデッタは、右手に奇跡のろうそくを持ち、左手でロザリオをつまぐっている。

それから七月十六日、カルメル山の聖母の祝日、それは最後の別れの日である。

「それほど美しいお姿を、今まで決して見たことはありませんでした！」

こうして、その後ベルナデッタは、この世でもう二度と洞窟の「女のかた」に出会うことはなくなる。

「ロザリオの学び舎」から初聖体まで

一つの大切な段階を越えて、次の段階に入る。今ここで少し立ち止まり、ベルナデッタがたどってきた霊的な道を見定めてみよう。

ベルナデッタは、その年の一月末にバルトレスから戻って来たが、相変わらず無学な少女である。そのために、読むのは音節ごとに、書くのは「文字を習い始める子どもが使う縦棒」でしか書くことができない。カトリック要理は、まだほとんど知らない。いちばん大切なことを、口頭で一語一語そのまま覚えた。「ベルナデッタにとって、何かを覚えることは難しく、頭が固くて、なかなか何も頭に入らないようでした。わたしはそのことをはっきりと言いました」。ベルナデッタよりも五歳年下の友人は、このように話している。この友人は、学校の休み時間に、記憶力の悪いベルナデッタの頭に、少しでもカトリック要理を詰め込もうと試みた。この同じ少女は、初聖体が近づいたときに行われたベルナデッタの試験のことも知っていた。

「学校付司祭、ポミアン神父様が、わたしの前で、ベルナデッタに、『あなたはどんなことを知っているのかね』と質問されました。――『天におられると、恵みあふれると、天地の創造主、全能の父である神を信じますのお祈りです』。――『それだけ知っていれば、ロザリオの祈りを唱えるためには、十分だね』。それから神父様は、小さなカトリック要理の本にある最初の二つの質問をされました。『だれがわたしたちをお創りになり、この世界に住まわせてくださいましたか。神様は、なぜわたしたちをお創りになりましたか』。ベルナデッタはよく答えました。それが、ベルナデッタが知っていたすべてのことでした。」

このようにして、「ロザリオの祈りを知っている」ということで、ベルナデッタは、一八五八年六月三日、木曜日、キリストの聖体の祝日に初聖体を受けることを許された。

そのとき、脱魂はなかった。好奇心に満ちている人びとは、ひじょうにがっかりした。しかし、初聖体を受けたベルナデッタは、すでに驚くほど深く神のうちに吸い込まれていた。

一人の友人が、「ねえ、ベルナデッタ、神様をお迎えするのと、洞窟でマリア様とお話しするのと、あなたはどちらが幸せかしら」と尋ねた。ベルナデッタは個人的な体験だけが説明し得る霊的な感覚をもって、次のように答えた。

「わからないわ。この二つのことはいっしょのものですもの、比べることなんかできないわ。わたしにわかることは、どちらの場合にも、とても幸せだったってことよ。」

初聖体の式の翌日、六月四日に、主任司祭ペイラマル師は、司教に次のように書いた。「わたしはこれらの子どもたちの黙想を指導しましたが、その間（ベルナデッタは）、きちんとした態度を保ち、潜心し、注意深く、まったく理想的でした。ベルナデッタの中では、すべてが驚くほどすばらしく成長しています」。

「それだけ知っていれば、ロザリオの祈りを唱えるためには、十分だね」。……「ベルナデッタの中では、すべてが驚くほどすばらしく成長しています」。ベルナデッタに対するこの二つの評価は、一体どのように調和し得るのだろうか。

それは、十字架のしるし、主の祈り、聖母マリアへの祈り、栄唱が、この単純な魂の深みにおいて、新たなひびきをもつにいたったことを意味する。これらの祈りが表している信仰の秘義は、ご出現をとおして、ベルナデッタにとってより深い確信、生きた真理、現実となった。それ以前は、洗礼を受けたこの小さな少女の魂にとって、確かに甘味なものであったとしても形だけの祈りに過ぎなかったものが、今や、自分が見、そして聞いた生きたかたのことば――心の秘密を打ち明ける語りかけと行為――自分の肉眼をもってじっと見つめた光――自分自身の存在と同じように、もはや疑う余地のない存在となったのである。

今日、母親や父親、主任司祭あるいは助任司祭、愛するシスターたち、検事、絶え間なく自分を悩ませる訪問客にご出現のことを語るとき、ベルナデッタは、使徒ヨハネのように言うことができよう。「わたしたちが聞き、目で見、見つめた……ことを、あなたがたに伝えます」。

事実、この少女が見たこと、聞いたことは、キリスト教の信仰の秘義の中心に秘められていることである。


特に、二月二十四日に聖母が打ち明けられた「秘密」、その「女のかた」とベルナデッタ自身の間のこととしてとどまるべきその「秘密」を、無理に知ろうとすることは差し控えよう。確かに、二月二十日、土曜日、第五回目のご出現のとき以後、ご出現になったかたがベルナデッタに「一言一言」忍耐強く教えられた祈り、ベルナデッタがどのご出現のときにも、そして「全生涯にわたって、毎日」繰り返し唱えたこの祈り――「わたしだけのための、特別な祈り」――を知ることができれば、それは、わたしたちにとって貴重なことだろう。しかし、この祈りは「ベルナデッタのためにだけ与えられた祈りである」から、その聖母の意向を尊重しよう。

事実、わたしたちは、ベルナデッタが脱魂状態をとおして伝えたことから、十分いろいろなことを知っている。ベルナデッタが現在体験的な知識によって知っていること――それは、ご自分のことを「無原罪の宿り」と呼ばれる、ひじょうにきよらかな、輝きに満ちあふれる、このうえもなくよいかたが、現実に存在しておられるということ、また、ただ一つのこと、すなわち罪だけがそのかたを悲しませるということ、しかも限りなく悲しませるということである。恵みの神的な美しさと、罪の重大さ、それこそ、ベルナデッタに示されたこと、そして今身近に感じられるようになったことである。

それは、ベルナデッタの生涯を特色づける決定的なものである。それは、教室でも、カトリック要理のときにも習わなかったことであるが、無学なベルナデッタの魂に、その心に、その精神に、永遠に一度限り、深く浸透した真理である。

この知識は、重要なものである。キリスト教のすべて、その教えと生き方のすべてがそこに要約されている。したがって、「このアルファベットさえ知らない少女」が、今では、もはやみっともない、落ち着きのない十字架のしるしをすることができなくなったこと――祈り始めるとすぐ、不思議なほど自分自身のうちに入って、潜心すること――そのときから、償いと苦しみの鋭い感覚をもっていること――自分自身のためにも、家族のためにも、貧しさの問題について極度に敏感であること――辱めやひどい拒絶、試練や反対を、限りない単純さをもって心から受け入れること――このようなことができたとしても、それは何も不思議なことではあるまい。

ベルナデッタにとって、この地上は来たるべきものを待つところであり、天国は真理と永遠の故郷であると思われるのは、ただ単に頭で学んだ信仰によってではない。それは、自ら生きることによって得た確信に基づく。

「わたしはあなたを、この世界においてではなく、他の世界において幸せにすることを、約束します」。二月十八日、木曜日、第三回目のご出現のときに、その「女のかた」はこう言われた。そのときから、ベルナデッタの全生涯は、この輝かしい確信のうちに展開されていく。

その後、「天におられるわたしたちの父よ……みこころが天に行われるとおり地にも行われますように……わたしたちの罪をおゆるしください……」と唱えるとき、あるいは、「恵みあふれる聖マリア……罪深いわたしたちのために、今も、死を迎える時も祈ってください……栄光は父と子と聖霊に……」と唱えるとき、これらすべてのことばは、ベルナデッタにとって、熱意と感動に満ちた新しいいのちに生かされたものとなる。

そのとき、これらの定形の祈りは、すべて、現実的、実在的な意味を帯びる。ことばも、祈りの決まった形も、いわば、ご出現の数々の美しい思い出に光り輝く。それらは、わたしたちの贖いの目に見えない世界、実在する唯一の世界の光に満ちあふれるのである。

マッサビエルからヌヴェールへ

「恵みあふれる聖マリア」のみ跡に従って

一八五八年七月十六日、聖母がベルナデッタのもとを去られたときから、この少女の生活は、新しい流れをもって展開されていった。この日からのベルナデッタの生き方を見つめると、そこには、神の導きの「計画」がはっきりと見えてくる。ベルナデッタは、これから後も「使命を受けた者」、すなわち、罪人の傍らにあって、恵みに満ちあふれる聖母のメッセージを伝える者として生きることになる。

ベルナデッタは、自分がマッサビエルで見たこと、聞いたことを、倦むことなく語り、聖母が命じられたことを繰り返し話し続ける。臨終の床にいたるまで、人びとはそれらの出来事のひじょうに詳細な点について尋ねる。それは、ベルナデッタが特別な恵みを受けた証人だったからである。

しかし、ベルナデッタがご出現の真正性と、聖母のメッセージの真実性を証しするのは、ことばによるよりも、生き方全体をとおしてである。ベルナデッタは、今やその全存在をもって、すなわち肉と霊、魂と心をもって、自分に示された恵みの秘義の中に入っていこうとしている。償いと祈りへの招き、愛への招き——ベルナデッタは、その招きを全世界の人びとに伝える使命をゆだねられた。そして、だれよりもまず、自分自身が、その呼びかけを心から受け入れ、自らの生と死をもってこれを実現していくのである。

ベルナデッタは、手にロザリオをもって、聖母の招きを実現していく。主の祈りと聖母マリアへの祈りの珠をつまぐり、マッサビエルで教えられた「美しい十字架のしるし」をしながら。また、生きている間も、臨終のときにも、あの「洞窟の女のかた」、聖母マリアにできる限りならって生きようと努めることによって。

さて、わたしたちの進むべき方向をよりよく見定めるために、今までたどってきたベルナデッタの「霊的な道」のこのあたりで少し立ち止まって、神秘の道しるべとでも言い得るものを、せめて大ざっぱにでもみてみることにしよう。実際、あまりにも多くの魂が、霊的な道において迷い、ある種の例外的な「道」に目がくらんだり、あるいは恐れを感じたりして、目指すべき目的を忘れてしまう。

事実、偉大な魂にとっても、小さな魂にとっても、目的はただ一つしかない。それはイエス・キリスト、しかも十字架に釘づけられたイエス・キリストだけである。主は終極目的であるとともに、道でもある。「わたしは道である」。魂は、「暗夜」――能動的な夜、受動的な夜――、霊魂の城の迷路に入り込み、あるいはまた、ご出現、啓示、預言のために道を見失ってしまう！　唯一の真実な道程は、ナザレ、最後の晩さん、ゲツセマネの園、カルワリオを通って聖なる墓、そして復活において全うされる道程である。

グランメーゾン師は、「すぐれて神秘的な状態に達した人びと」に言及して、次のように書いている。「一点のかげりもない善そのものであるおかたに向かって、まっしぐらに前進するこれらの先駆者たち、今のわたしたちからは遠くかけ離れてしまったこれらの人びとの体験は、前人未踏の地に分け入る探検家たちが種々の文献を書き残しているように、その神秘家たち自身によって書き残されている。偉大な神秘家とは、さまざまな世界の最も美しいもの、最も望ましいもの、最もすばらしいものの開拓者であり、英傑である」。これは、ひじょうに美しい叙情的霊感に満ち、深い真理を秘めたことばである。というのも、そこに言われていることが、まさしくすばらしい世界、つまり、あらゆる示現、出現、照らし、霊感あるいは啓示よりももっとすばらしい世界、すなわち「恵み」そのものの世界に関することをさしているからである。

わたしたちがおん父によって、イエス・キリストにおいて神の養子とされたこと、洗礼によってキリストの神秘体の肢体とされたこと、聖なる三位一体の神がわたしたちの中に住んでおられること、秘跡に生きることと祈りによって、わたしたちが神のいのちの中で成長していくこと、神のうちに隠されているが、深い現実であるこのわたしたちの全存在の「変容」のすべて、わたしたちに与えられたこの「神の子となる」驚くべき「資格」、これこそ、神の不思議なみ業の中でも最も不思議なみ業、父なる神の限りない愛といつくしみが生み出したみ業、「天におられるわたしたちの父」がすべての善意の人びとに差し出される、思いがけない恵みである。

この驚くべきいのちの定めは、通常、多少なりとも信仰のかげった光の中で展開されていく。そして、それは、現実の生活には何ら特別な変化をもたらすものではない！　一方においては、通常恵みというものは、洗礼を受けたとしても、その人の意識に感じとられるものではなく、少なくとも一種の暗闇の中でしか示されないということは事実である。また、恵みに忠実であり、聖霊の働きに注意深い魂にとって、そのような恵みの現れは、明白でないとしても、徐々によりいっそう確実ではっきりしたものになっていくことも事実である。

他方、洗礼を受けたすべての人の中において、霊的著者たちが「魂の深奥」と呼ぶその深みに、わたしたちのうちにありながら、わたしたちのものではないいのち、イエス・キリストにおいてわたしたちに与えられた神のいのち、聖なる三位一体のいのちそのものが働き、その業が行われるということも事実である。そして、そのことは、ただ単に「偉大な神秘家」にとってだけではなく、最も目立たないキリスト者にとっても真実である。

「前人未踏の地に分け入る探検家」もあれば、すべての人によって踏み固められた径(みち)、すなわち「小さな道」を歩み、「平凡な生活を生きるごく普通のキリスト者」もいる。

アビラのテレジアと並んで、リジューのテレジアもいる。十字架のヨハネもいれば、サレジオのフランシスコもいる……。

神の特別なたまもの、「カリスマ」を与えられ、数々の奇跡を行いながら世界をゆさぶる使徒たちもいれば、ひじょうに単純で、まったく目立たないまま、深い沈黙の中に生きる、「恵みあふれる」聖母マリアもおられる。

聖母が歩まれた「道」を今一度見いだすために、福音書を開いてみよう。謙遜の道――聖母が歩まれた道は、最初からこのような道としてわたしたちの前に現れてくる。祈りと愛にすっかり浸りきった謙遜。それから、大天使ガブリエルによる聖母の「使命」の偉大な告知、ベツレヘムでの貧しさの試練、ナザレにおける沈黙と、長い隠れた生活。しかし、この暗闇のもとに、どれほどの熱心、どれほどの聖性が秘められていることか！　イエスの公生活中の、ほとんど完全に隠れた生活、そしてエルサレム、十字架の道、カルワリオ。イエスが死の苦しみを味わっておられるとき、聖母は最高の供えものをささげるために、そこに立っておられる。「婦人よ、この人はあなたの子です」。「この婦人は、あなたの母です」。そのときから、聖母は聖ヨハネの家に住まわれる。聖母は、高間で使徒たちとともに祈り、教会の誕生の中心となられる。「謙遜なおとめマリア」、主にすべてをささげ尽くした魂、わたしたちを贖(あがな)うための神の偉大なみ業にあずかったかた。

しかし、マリアの役割は、自らこの神の偉大な呼びかけに「最も忠実な者」、その魂のうちに贖いのみ業が最も完全な充満性をもって全うされるかたとなることであった。そのために、マリアは、教会の声をとおして語られる聖書によって、人類の「共贖者(きょうしょくしゃ)」と呼ばれるようになる。この世においても、天国においても……。

聖母が歩まれた「道」。それは一言で言うならば、ひじょうに深い謙遜のうちに生きられた、最も純粋な愛の道である。

次に、一九三五年四月二十八日にルルドで行われたパチェリ枢機卿の講演を引用することにしよう。

「（おとめマリアは）ベルナデッタのところに来られ、ベルナデッタを、ご自分の秘密を打ち明ける相手、協力者、ご自分の母としてのやさしさ、おん子のいつくしみ深い全能の力の道具とされる。それは、贖いのみ業が、新たな、たぐいもない方法ですべてのものに注がれることによって、キリストにおいて、この世を建て直すためである。」

教皇ピオ十二世は、一九五七年七月二日付の回勅の中で、真に驚くべきこれらのことばを、そのまま引用している。

ベルナデッタの「霊的な道」は、このように、無原罪の聖母の「霊的な道」と同じ道程、すなわち、最も深い謙遜のうちに生きる純粋な愛の道をたどる。人びとに繰り返し伝えることができるように、ルルドにおいて聖母がベルナデッタに何度も言われたこと、それは、人間が恵みのいのちに招かれているというそのすばらしい召し出しと、罪が恐ろしい悪であるということであった。

聖母はまた、ご自分が特に愛しておられ、ご自分にのみふさわしいみ名、すなわち、その霊的なご生涯の歩み、恵みに満ちあふれておられること、罪の汚れがないことを最もよく表すみ名を示された。しかし、それと同時に、聖母は、小さな使者ベルナデッタが、聖母のメッセージの中に含まれている命令を自らまっ先に実現するように、つまり、マッサビエルにおいて新たに始まったこの霊的な道の「先駆者」となり、この新たなお告げに対して「おことばどおり、この身になりますように」と真心からこたえるように、招いておられる。

一八六六年五月十二日、ベルナデッタは個人的なメモ用の手帳に、次のように記している。そのとき、ベルナデッタは（すでに志願者であったが）まだヌヴェールの本部修道院に来ていなかった。

「やさしいみ母よ、あなたをみるよろこびをもったとき、わたしの魂はどれほど幸せだったことでしょう！　わたしたちに対するやさしさといつくしみに満ちたあなたのおん眼差しのもとで過ごした、あの美しいひとときを思い起こすことを、わたしはどれほど愛していることでしょう。そうです。やさしいみ母よ、あなたは、その恵みにまったくふさわしくないか弱い子どもに現れ、あることを伝えるために、この地上にまでおくだりになりました。ですから、このか弱い子どももまた、どれほど謙遜にならなければならないことでしょう！天地の元后であるあなたは、人びとの目に最もか弱い者を用いることをお望みになりました。おお、マリアよ、自分のことをあえてあなたの子どもと呼ぶ者に、この大切な謙遜の徳を与えてください。おお、やさしいみ母よ、あなたの子どもがすべてにおいて、すべてのことのために、あなたにならって生きることができるようにしてください。一言で言うならば、わたしがあなたのみ心と、愛するおん子のみ心にかなう子どもとなることができますように。」

後日、ベルナデッタは、次のような祈りをつくる。

「やさしいみ母よ、あなたのように、主がわたしに送ってくださるすべてのことを受け入れることによって、イエスに対するわたしの愛を証しすることができますように。」

このような心構えは、わたしたちをマリア的霊性の核心へと導く。すなわち、わたしたちは、すべてのものから離脱した道、しかし、まっすぐ終極目的に導く確実な道——まったく聖なるかた、「恵みあふれる聖マリア」、聖母がまっ先に歩まれた「愛の道」——を真実に歩むのである。

一八五八年の夏、そしてそれに引き続く数年間、ベルナデッタを最も脅かした霊的危機は、「選ばれた者」であるという高ぶった心、自分がその証人であり、中心人物であった神の不思議なみ業の栄光を、幾分なりとも自分のものにしておきたいという誘惑であった。

できれば、このころのスビルー家の状況を思い起こしてみよう。確かに、ベルナデッタの家族は、引き続くご出現の間に、ほとんど豊かにはならなかった。聖母のご出現を見た小さなベルナデッタは、まるで「洞窟の女のかた」から命令を受けたかのように、自分自身のためにごくわずかの金銭も、どんな小さな贈り物も、決して受け取ることを好まなかった。人びとが何かを与えようとすると、ベルナデッタは、「わたしは商人ではありません」と言っていた。そして、家族の者も、小さなジャン・マリーさえも、厳しくその模範にならうよう、細心の注意をしていた。

しかし、日に日に増加していくマッサビエルへの巡礼者たちが、どれほど熱心に自分を探し、自分に会い、質問し、自分の口からご出現の話を聞きたいと望んでいるかということに、気づかないわけにはいかなかった。小教区や教区の高位聖職者、検事、警察署長、予審判事、ルルドあるいはタルブの知事や、要職にある人びとから質問されることは、いかにその場にふさわしく機転をきかせる才があり、また茶目っ気いっぱいであったとしても、まだ十四歳の少女にとっては、確かに、ひじょうに強烈な印象を与えることであった。しかし他方、このような大騒ぎは、ベルナデッタ自身の目には、自分が「重要視されている」ことと映ったに違いない。

そしてついに、マッサビエルの不思議な出来事を話すために、方言を使わざるを得なかったこと（これは一八五九年の末まで続く）、あるいは同年配の子どもたちのようには読み書きができなかったことは、確かに恥ずかしいことであった。しかし、このようなどうにもならない無知をさらけ出すことも、絶え間なく応接間に呼ばれたり、特別な恵みを受けた者として「ベルナデッタの取り合いをする」司教や偉い人びとと会って話さなければならなかったからだと言えば、それは、何とやさしく、いかにも格好のよい言い訳であったことだろう。

「主は、そのはしための卑しさをかえりみてくださいました」。神のたまものは、それが真実なものであるならば、決して魂を傷つけない。まったく目立たない、ひじょうに透明な心をもつ羊飼い、ベルナデッタにゆだねられた「使命」が、そのきよらかな水のような魂を汚すことは、不可能であった。そのときから、主は目に見えるはっきりとした形で、謙遜の特別な恵みをベルナデッタに与えられた。

主はベルナデッタに、貧しさを愛する心を保たせ、貧しさの霊的な意味を理解させられた。そして、これは、最初の恵みであった。一人の幼な友達は、次のように語っている。「ベルナデッタは、貧しい家庭に生まれたことを苦にしていませんでした。というのは、この家庭はひじょうにキリスト教的な家庭であったので、いつも自分たちの定めに満足していたからです」。ベルナデッタは、むしろ、貧しさの真に福音的な意味を理解していた。ベルナデッタにとって、貧しさは、神との友情のしるしであり、「幸いな人」[9]と呼ばれる者のうちに数えられる小さな人びとの世界――それは、神のおん目にはどれほど偉大なことだろう！――に属するための資格であるとともに、数々の霊的な誘惑を避ける助けでもあった。貧しさ、それはベルナデッタにとって、すでに貧しいイエスに似た者となること、より正確に言うならば、貧しいイエスを愛することであった。

しかし主は、常にそうされるように、特に、ベルナデッタの中において傲慢（ごうまん）の機会となり得るものを、謙遜の泉に変えられた。主は、聖母のメッセージを伝える使者と、その使命との間には、ほとんど無限のへだたりがあることを、ひじょうにはっきりとわからせてくださった。主は、ベルナデッタが「最も貧しい者」、「最も無知な者」であるからこそ選ばれたのだという自覚を、その魂のうちにしっかりと植えつけられた。ベルナデッタがしばしばこの深い確信を言い表している「ことば」――その中のあるものは機智に富んだものである――は、人びとによく知られている。

「聖母がわたしをお選びになったのは、わたしがいちばん愚かだからです。わたしがそのことを知らないとでも思っていらっしゃるのですか。もし聖母が、わたしよりももっと愚かな人を見つけていらっしゃったら、きっとその人を選ばれたことでしょう。」

ベルナデッタは、ある日、カオールの孤児院の院長にこのように言った。「ほうきで何をしますか」と、ベルナデッタはスール・フィリップ・モリネリーに尋ねる。――「掃くために使います」――「じゃ、その後は」――「ドアの後ろの決まった場所に片づけます」――「そのとおり！　それは、わたしのことなんです。聖母は、わたしをお使いになりました。それから、わたしはもとの場所に置かれました。わたしはそれで幸せです。そして、そこにとどまります」。ベルナデッタは、自分の故郷で起こった奇跡を、よろこんでたとえとして用いている。

「わたしは、ほかの人たちとまったく同じです。神は、仕事中に立ち止まり、奇跡の聖母のご像がうずめられていた場所を足で踏みつけたベタラムの牛のように、わたしをお使いになりました。」

このことから、ベルナデッタの中には、自然に黙する傾きがあったことがわかる。ベルナデッタは、ただ質問されるときにだけ、ご出現について語った。それゆえ、できる限り、訪問客や質問を避けた。また、そのために、疑い深い人や不信の態度にぶつかったときには、次のような気のきいた巧みな表現、「ジャンヌ・ダルクのような」ことばをもって話した。予審判事リーヴ氏にうそをついているととがめられ、牢獄に放り込むと脅されると、ベルナデッタは次のように答える。「かまいません。覚悟はできています。牢獄に入れてください。でも牢獄は頑丈で、しっかり鍵をかけておいてください。さもなければ、わたしは逃げ出してしまいますから」。また、ベルナデッタが伝えるメッセージを信じない一人の司祭には、こう言っている。「おお！　聖母は、わたしにそれを伝えるようにとおっしゃいましたが、信じさせるようにとはおっしゃいませんでした！」

ご出現の後ベルナデッタが生きた霊的な雰囲気、それは、まさしく「お告げ」と「ご訪問」の雰囲気、すなわち、マリアの謙遜の雰囲気である。つまり、ベルナデッタにとって、選ばれたことは、驚きであると同時に、聖母をたたえ、愛することにほかならない。「わたしは、このような恵みを受けるはずの者ではありません」。これは、「わたしは主のはしためです」ということばと、「マニフィカト（マリアの賛歌）」の忠実なこだまである。あるいはまた、「わたしが今日あるのは、神の恵みによる」という、聖パウロのことばのこだまでもある。

魂がこのように明晰に、はっきりと、自分自身の貧しさと、すべてが恵みによることに気づくのは、その魂を照らすために聖霊が働いておられるからである。これほどの力、これほどの透明さをもつ謙遜、それは宗教的心理状態の通常の段階には見られないことである。実際、このような謙遜は、魂が自愛心をなくし、当然自分に帰属し得るすべてのものから離脱するために、主が助けてくださることを前提とする。

ベルナデッタの魂は、赤裸になるまで、自分自身を明け渡した。その最も奥深い願い、ベルナデッタ自身の「望み」は、自分の中にあるけれども、自分自身からのものではない望み、すなわち純粋な神の望みに場を譲るために、まったく自分を消し去ってしまった。ベルナデッタは一八六四年に、ある司祭に次のように書いている。

「神様がわたしを取り上げてくださるように、そうでなければ、早くわたしをその花嫁の中に入れてくださるように、お祈りしてください。わたしはそれにまったくふさわしい者ではありませんが、これこそわたしの最大の望みなのです。」

あまり細かく突っ込んで考えなければ、このような内的離脱さえも、ベルナデッタにとってはほとんど無意味であったといえよう。つまり、この少女は、自分自身のことなどに決してかまけているようなことはなかったと言ってもよかろう。ベルナデッタの謙遜は、自分から離脱すること、あるいは自分を軽んじることよりも、むしろ自分をまったく意識していないということであった。

したがって、数々の訪問、「公の呼び出し」や尋問などにもかかわらず、ベルナデッタにとっては摂理的に、貧しさ、単純さ、無知の結果、おのずから謙遜の雰囲気が生まれてくるのである。一八五八年から一八六〇年にかけて、ベルナデッタが粉ひき小屋から学校に通うのを見たルルドの人びとは皆、確かに、エストラード氏と同じように話すに違いない。エストラード氏は、次のように書いている。「わたしたちは、ベルナデッタが毎朝、ボロボロの貧しいかごをもって、学校に通うのを見た。かごの底には、編みかけの靴下、黒パンの端切れ、角がすれ切れた初歩の読本が乱雑に入っているのが見えた。ベルナデッタは、休み時間には学校の中庭で、かわいい打ちとけた様子で遊びに加わり、小さな友達と一緒に笑ったり、歌ったり、飛びはねたりしていた」。少なくとも健康状態が許す限り……。

シスターたちにとって、ベルナデッタは、確かにひじょうに愛されている子どもであるが、同時に「勉強が遅れている生徒」でもある。一八六一年（当時十六歳）には、読み書き、そして計算においてさえも、ベルナデッタが進歩したことが認められる。しかし、綴りは相変わらずひじょうにいい加減である。二十歳になったとき、ベルナデッタは、綴りは別にして、十三、四歳まで勉強した少女とほぼ同じくらいの基礎知識をもつにいたる。そして、フランス語も、まだひじょうに粗野ではあるが、正確に話せるようになる。

一八六三年九月二十五日、金曜日の朝、ヌヴェールの司教――しかもこの資格において、ヌヴェール愛徳修道会の長上である――フォルカード司教は、ルルドの学校を訪れ、ベルナデッタに会って、本人が自分の将来についてどのように考えているのか知りたいと思った。そのとき、院長は、台所でにんじんの皮むきをしているひじょうに若い少女を指して、「この子です！」と言う。このようにしてベルナデッタは、司教と次のようなひじょうに福音的な対話を交わすこととなる。

「あなたは、今までに、シスターになりたいと思ったことはありませんか。」

「司教様、それはできません。ご存じのとおり、わたしは貧しいのです。必要な持参金を手に入れることは、決してできません。」

「しかし、ベルナデッタ、本物の召命があれば、ときには貧しい若い娘を、持参金なしで、修道女として受け入れることもあるのですよ。」

「でも、司教様、司教様が持参金なしで受け入れられる人びとは、それを十分補えるほど器用で、賢いお嬢さんたちでしょう……。このわたしは何も知りませんし、何の役にも立ちません。」

このように話す若い少女、それはまさに、聖母マリアがご出現になり、ご自分の秘密を打ち明ける相手として選ばれたその少女自身なのである。

何という謙遜！

そして、この謙遜の中に、どれほどの愛が秘められていることか！

イエスに対する愛、それこそ、まさしく聖母から学びとる愛である！　一八五八年九月八日、それは、ベルナデッタにとって大きなよろこびの日であった。ベルナデッタは、ルルドの「マリア会」の会員として受け入れられた。この奉献によって、ベルナデッタは深い幸せを味わい、ヌヴェールに行ったときにも、生涯その会員としてとどまる恩典を願ったほど、その心に深い何ものかが刻み込まれた。そして、その願いはかなえられた。

ベルナデッタは、常に聖母との熱い親しさを保ち続ける。この親しさのしるし、それはやはり、そして常に、忠実にロザリオを唱えることである。この祈りを唱えることができる限り、ベルナデッタはロザリオの珠をつまぐる。一人の友人は次のように語っている。

「ルルドで、ベルナデッタは小さなエプロンをかけ、いつもポケットに手を入れていました。わたしは、ある日、そのエプロンのポケットに何が入っているのか、おいしいお菓子（ボンボン）か何かを持っているのかと尋ねました。ベルナデッタは、ロザリオを持っているのだと答えました――『じゃあ、どうしてそんな風に隠しているの』――『ときには、自分の信心を人に隠すほうがよいでしょう。そうでないと、みんなが誤解して、マリア様に失礼なことを言うかもしれないでしょう』。」

ベルナデッタは、洞窟の周囲に巡礼者がいないとわかっている日、そのようなときを利用して、一人でそこに「巡礼」をする。再びご出現のときの動作を繰り返し、地面に接吻し、水を飲み、洞窟のいちばん暗い隅のところまでひざまずいてのぼっていく。そして、そこで、「自分の小さなロザリオをとって、祈りを唱えていた」。

ベルナデッタのロザリオ！　床につく前に、ベルナデッタは、自分の腕にロザリオを巻きつけることを決して忘れない。喘息（ぜんそく）の発作が全身をとらえ、息づまらせ、ゆさぶるとき、ロザリオをとり、それを胸の上にしっかりと押しつける。学校で生徒たちがロザリオの何連かを唱えるとき、ベルナデッタは聖母マリアへの祈りのことばを唱えながら、ひじょうに深く、内的に潜心した表情をしていたので、その姿を見た人びとには、ベルナデッタは祈りの模範、すぐれた「祈りの人」のように思われた。

このころ、ベルナデッタは、その健康状態にもかかわらず、自分の心の中に、まったく驚くべき計画、すなわち「聖ベルナルド会」に入会したいという望みをあたため続けている。沈黙、潜心、観想修道者の祈りは、その心をひじょうに強く引きつける。しかもそれは、特に聖ベルナルド……自分の保護者である聖ベルナルド、そしてなおそのうえに、おとめマリアを最も深く愛し、たたえた聖人の一人にささげられた修道会である。

聖母が、ある魂の愛を、決してご自分自身にとどめておかれることがないということは、霊的生活においてひじょうによく知られていることである。ご出現からヌヴェール愛徳修道会に入会するまでの八年間に、ベルナデッタは最も真実な「愛」において、すばらしい進歩を遂げる。外面的に見れば、確かに学校のシスターたちが証言しているように、「神の子としての生き方において、まったく平凡で、何も特別なことはない」。ベルナデッタ自身は、この「ごく普通の生き方」をしたいと強く望んでいたように思われる。しかし、ベルナデッタが祈り始めるとすぐ、人びとはただその姿を見るだけで、並々ならぬ礼拝の深さ、神の現存の意識の強烈さを感じとるのである。

ひじょうに大切な二つの出来事が、ベルナデッタの霊的生活に新たな広がりを与えた。先にも言ったとおり、ご出現の時期の終わりごろ、ベルナデッタは、ついに初聖体を受けた。当時の習慣によれば、初聖体の式の後、子どもたちは、月に一度聖体拝領をすることを許されていた。ベルナデッタについても、同様であった。しかし、その聴罪司祭であるポミアン師は、間もなく二週間毎に聖体拝領をすることを許可した。そして、それは一八六〇年まで続いた。

そのころ、ベルナデッタの生活の中に、新しい宗教的な出来事が起こった。すなわち、一八六〇年二月五日、ローランス司教はルルドの子どもたちに堅信の秘跡を授けた。ベルナデッタも堅信を受ける子どもたちの一人であった。典礼の中で教会が「貧しい者の父」、「心の光」と呼ぶ聖霊が、そのたまものと光をもって、ベルナデッタの中に来られたのである。生涯の最後の日々におけるあの高い状態にいたるまで、その霊的生活は、この聖霊の息吹きのもとに成長し続けていく。ベルナデッタの生き方を見ている人びとのことばによれば、この堅信のときから、その魂は新たな飛躍を遂げる。聴罪司祭は、今では週に一度聖体拝領をすることを許している。

それは、当時としてはまったく例外的な恩典であった。

神によって真に照らされた魂の中においては、聖体のうちにおられるイエスに対する愛は、十字架に釘づけられたイエスに対する愛なしには、決してあり得ない。このころ、ベルナデッタのうちにおいて、この愛は二つの形をとって現れる。一つは、天におられるおん父のみ旨と、み母、おとめマリアのみ旨を受諾するという形をとる。もう一つは、「償い」、すなわち罪人のため、および自分自身の罪のために償いをするという形をとる。

激しい喘息の発作を起こしているベルナデッタを不意に訪れ、洞窟の水によって癒されないことに驚いている一人の訪問客に、ベルナデッタは次のように答える。

「多分、聖母は、わたしが苦しむことを望んでいらっしゃるのでしょう。」
「どうして聖母は、あなたが苦しむことを望まれるのですか。」
「おお！　わたしにそれが必要だからです。」
「では、どうしてほかの人よりも、あなたにそれが必要なのですか。」

「おお！　それは、神様がご存じのことです……。」

「み旨が行われますように」という祈りの、これ以上謙遜な解説があるだろうか。償いに関しては、ベルナデッタは常にこれを、マッサビエルの「女のかた」の訴えとして理解していた。そして、いつもこの訴えのうちに、すべての人、そして何よりもまず自分自身に与えられた最も大切な命令があると考えていた。ベルナデッタは、十字架に釘づけられたイエスとともに生きる贖いと、罪の償いについて、鋭い理解をもっている。

聖母マリアへの祈りの「罪深いわたしたちのために祈ってください」ということばは、それ以後ベルナデッタの魂の魂となる。それは、すでにベルナデッタを聖性へと駆り立てる力であり、生涯そのような力としてとどまるだろう。苦しみのさなかにあって、特に「償いの道具」である喘息がそのあわれな胸を激しく苦しめるとき、ベルナデッタは、何度も何度も、このロザリオの単純な祈りを繰り返す。そして、ベルナデッタにとって、このように苦しむことは、まさに天のみ母のみ旨であるように思われる。

一八六二年の春、いつもよりももっと激しい発作のために死に瀕していたとき、ベルナデッタは、病者の塗油を受け、洞窟の泉の水を少し飲んで、奇跡的に癒された。発作は治まった。しかし、ベルナデッタをそれほど苦しませていたこの恐ろしい病気、喘息は生涯続いた。それは、ベルナデッタから決して離れることはない。

一八六六年の夏のことである。ヌヴェール愛徳修道会の修練院に入ることを許されるときが訪れようとしている。その数週間前から、ベルナデッタは、ルルドの学校で志願者とみなされている。一八五八年以後の進歩をみるために、今一度ベルナデッタに眼差しを向けよう。正確には五月二十一日——聖霊降臨後の月曜日——ベルナデッタは、マッサビエルでのすばらしい祝典に参加する。その日、将来建てられる教会の地下聖堂が落成した。何千人もの巡礼者がルルドに集まり、その中のある人びとは、ひじょうに遠いところからやって来た。行列は小教区の教会から出発し、最も大きな祝日のように旗で飾られ、方々に凱旋(がいせん)門が立てられている町のあちこちの道を通って、マッサビエルへと進んだ。洞窟とガーヴ川の間に祭壇が設置されていた。ローランス司教は、そこでひじょうに荘厳に司教ミサをささげた。

ベルナデッタは、そこにいる。マリア会員の白いヴェールをつけて、無名の人として、行列に加わっている。ここに集まってきたこれらの巡礼者、ここで行われているこの行列、このミサ聖祭、それは「無原罪のおん宿り」である聖母のメッセージの実現である。すべての賛美は、イエスとそのおん母のみもとにのぼっていき、何ものも、絶対に何ものも、使者であるベルナデッタに向けられてはならない。行列が道を進んで行く間、ベルナデッタは友人の間に隠れている。目を伏せて、ロザリオの珠をつまぐりながら祈っている。

しかし、人びとはベルナデッタに気づいた。通りがかりに、そのヴェールの端を切ろうとする人もいる。ベルナデッタを守っているシスターたちがいなかったら、その洋服はずたずたになっていただろう。「だけど、その人たちはなんてばかなんでしょう！」人びとのこのような感嘆を前にして、その簡潔なフランス語でただ一言こう言うだけである。ベルナデッタは、自分で考えてみて「まちがっている」と思う巡礼者たちのこのような行為に驚く。

ミサのとき、ベルナデッタは、いつものように、単純な、深い潜心のうちに、聖体拝領をした――その全存在は、神の現存の意識のうちにすっかり浸りきっていた。

実に、ベルナデッタは、すべてにおいて、ご出現になった「女のかた」のみ旨に従って、そのかたを模範として生きたのである。

その数日後、一八六六年七月四日、水曜日に、ベルナデッタはヌヴェールに向かって出発した。

ヌヴェール

「閉ざされた園　封じられた泉」（雅歌4・12）

「洞窟、それはわたしの天国でした」。七月三日、火曜日の夕方、最後の祈りをするためにマッサビエルに行って、帰って来てから、ベルナデッタは学校の院長にこう言った。ヌヴェールに向かって出発するとき、ベルナデッタは、そこで再び天国を見いだせると考えていた。ヌヴェール愛徳修道会に入会すると決心したそのときには、次のように書いている。

「おお！　院長様、修練院に入ることができるそのすばらしい日を、わたしはどれほど待ちこがれていることでしょう。というのは、それは地上でのほんとうの天国であるに違いないからです！」

はじめのうちは、ヌヴェールは、その望みを実現するかのようにみえた。そこに到着したときから、ベルナデッタ自身、まったく満たされていると感じる。修友も、本部修道院全体も、聖母が「ルルドの洞窟で特別な恵みを受けた幸いな少女」を自分たちにゆだねてくださったことを感謝する。修道会の記録には、次のように記されている。「修練院は、尊いみ母を深く愛している！　また、新しく入ってくる修友よりも幸いな者、すでにこの地上で天国を前もって味わう体験をしたベルナデッタを、深く愛する」。

ベルナデッタとともに、修道院の中に、わずかながらも永遠の至福が入ってきたということができよう。修練長メール・ヴォーズーは、ベルナデッタが来る前から、「聖母をみたその目を見ることができるよろこび」を味わっていた。

到着後わずか数日を経た七月二十九日、ベルナデッタは着衣を許される。そして、それ以後、スール・マリー・ベルナールという名前で呼ばれることとなる。「この二つの名前は、とても美しく、わたしの心にとってとても大切な名前です」とベルナデッタは書き記している。

しかし、マッサビエルの「女のかた」は、すでに、ベルナデッタに前もって「わたしはあなたを、この世界において幸せにすることを約束しません」と言っておられた。

にもかかわらず、天国、それをベルナデッタはヌヴェールで見いだす。しかし、それはルルドのご出現のときのような至福の光に包まれたものでもなく、ましてや天国の諸聖人の、一点のかげりもないよろこびに満たされたものでもない。ベルナデッタは、神がこの地上で選ばれた者のために備えられる形、すなわち、十字架に釘づけられたイエスのために燃え尽きる愛の形のもとに、天国を見いだす。「神は愛である！」

修道生活の第一歩から、ベルナデッタは、自分を導く「星」に常に忠実であるよう、迫られているように感じる。「星」、それは、ベルナデッタをイエスのもとに導くマリアである。今から歩むべき霊的道程のすべてにわたって、ベルナデッタは、「すべてにおいて、すべてのために、聖母にならって生きる」恵みを、おん母に祈り求める。一八七三年には、次のように書いている。

「ああ！　おことばどおり、この身になりますように。おお、み母よ！　あなたのみ心のうちにまったく自分をなくしたわたしの心が、もはや聖なる師イエスのみ旨以外のいかなる愛も（もつことがありませんように）。どうかこの世からあなたの魂に一致した霊魂が、絶え間なく、このまったき従順の賛美をささげ、それによって主に栄光を帰することができますように。はい、そうです。わたしの神よ、はい、万事において、いつ、いかなるところでも、『はい』と言うこと！」

深い謙遜のうちに生きる、あますところのない愛。スール・マリー・ベルナールは、神に向かう歩みにおいて、常に聖母と同じ道をたどる。

ルルドと同じように、ヌヴェエールにおいても、主は、ベルナデッタに「隠れた生活」の霊的な意味を理解させ、それを愛する心を与えられる。これほどの力と、ゆるぎない忠実さの高みに達した魂の状態は、ひじょうに特別な恵みの結果以外のものではあり得なかった。

「わたしは、隠れるために、ここに来ました」。着衣した夜、若い修練者スール・マリー・ベルナールは、修友の一人にこのようにはっきりと言う。そして、この計画に忠実に生きる。「修練者が、全生涯にわたって、いちばん低い者としてとどまることを決意していないならば、ほんとうに修道生活に入るとはいえない」。スール・マリー・ベルナールは、修道会の指導書の中にこのように記されているのを読む。そして、この勧めがまったく当然のことであると考える。

スール・マリー・ベルナールは、「修練者の中で最も隠れた存在」であった。ヌヴェールにおいても、「ベルナデッタに会うこと」を望む訪問客が大勢押し寄せて来る。長上たちはそれを断るが、その長上たちの厳しさも、ときには、ある依頼や申し出の前には譲らなければならない。そのとき、スール・マリー・ベルナールが客間に行くためには、正式の命令が必要であった。単なる「許可」だけでは、そこへ行くように決心させるために十分でなかった。修道院においても、それらのわずらわしい人びとから逃れるために、スール・マリー・ベルナールは、ピレネーの少女らしい茶目っ気と巧みな策略を用いた。その死後、メール・ドンズは次のように言っている。「ベルナデッタは、訪問を受けることをひじょうに恐れていました。まるで小さなねずみのように逃げ回っていたので、ベルナデッタをつかまえるためには、修道院を一周しなければなりませんでした」。

人前に出ることに対する厭悪感は、それほど激しかった。このように、傲慢の誘惑に打ち勝つ力として、主の恵みは、長上たちのあらゆる賢明さよりもなおいっそう、しかもよりよく、その魂のうちにおいて働き続けた。

「わたしは、すべての人から忘れられ、ただ神おひとりとのみ生きることを、よろこびとします。」

その葬儀の日に、ルロン司教は、十二年間スール・マリー・ベルナールの生き方を見てきた共同体の前で、反対を受けることも恐れず、次のように確言する。「だれも、スール・マリー・ベルナールを隠したのではありません。隠れたのは、本人自身です。しかし、それでもまだ自分の望みどおり、十分隠れることはできなかったのです」。

他方、その魂を謙遜の深みに導いたこの内的な恵みに呼応する、まったく驚くべき摂理の働きがあった。神の摂理は、年月の経過とともに、スール・マリー・ベルナールが常によりいっそう沈黙と「隠れた生活」の深みに入っていくことを助けた。

ルルドでフォルカード司教と話した後、ベルナデッタがヌヴェール愛徳修道会に入会する許可を願ったとき、修道会の長上たちは引っ込み思案の様子であった。事態は、困難なしに運んだわけではない！　その理由は、おそらく、この少女がまだ無知であり、健康においてもひじょうに虚弱であった――ある日メール・ルイズ・フェランはフォルカード司教に「ベルナデッタは、病室の大黒柱になるでしょう」と言った――ためではない。むしろ、それは、まさしくご出現そのもののためであった。まことに逆説的なことではあるが、それほど輝かしい恵みを受けた少女を、修道院に修練者として受け入れること、それは何らかの危険を引き起こさずにはおかないことだからである。また、修道共同体の中においても、外においても、その平和を乱す可能性があるからである。

しかし、ついに、修道会の長上でもあったフォルカード司教があくまでも入会の許可を主張したため、その望みに譲らざるを得なかった。ベルナデッタは、これらのことが事態を遅らせていることを知らないわけではなかった。そして、修道院に心からよろこんで受け入れられたとしても、修道院の規律や修道女の養成の責任をもっている長上たちにとっては、自分の存在が微妙な問題を投げかけていることを十分予感していた。

したがって、ヌヴェールに到着した翌日、そこに集まっていた修道院のシスターたち全員の前でご出現の話をしてから、その後この点について沈黙を守らなければならないと言い渡されたときにも、ほとんど驚かなかった。また、修道会総長メール・ジョゼフィンヌ・アンベールが与えた賢明、謙遜、自分を無視するようにというような数々の勧めをも、同じように素直に受け入れたに違いない。ベルナデッタがそれらの勧めを心から受け入れなかった場合には、注意深く警戒している総長、そしてなおいっそうのこと、修練長メール・テレーズ・ヴォーズーがひじょうに速やかに、ことばや態度をもって、ベルナデッタがへりくだるのを助けたに違いない。

修友の一人は、次のように証言している。「聖人になるために、わたしたちの小さな姉妹は、まず聖母によって、次に修練長によって、なされるがままに身をゆだね、さらに自らへりくだらなければなりませんでした」。聖母、修練長、自分自身という列挙の仕方は簡単すぎるようであるが、事実はそのとおりである。

メール・ヴォーズーから受けた謙遜になるための養成は、ベルナデッタにとって、魂のどれほどの深みにまで及んだことだろうか。それは、ただ神のみが知っておられる！　ヌヴェールに到着したときから、その周囲には「訪問客」や「例外的な取り扱い」、また自分自身や虚栄の危険からさえも、ベルナデッタを「守る」ための、一種の善意の共謀といえるようなものがあった。すなわち、フォルカード司教自身も「第一日目から」率先してそのように振舞った。しかし総長はすぐ、司教の賢明さを上回る行動に出た。そしてメール・ヴォーズーは、総長の命をさらに上回った。

その周囲には、ある熱っぽさを伴うありとあらゆるこれらの「擁護壁」がそそり立っていたが、スール・マリー・ベルナールは会則と共同体の生活の中に、沈黙と、人びとから忘れられて生きる生活を求めていた。大きな修道院――ヌヴェールにある本部修道院は当時全盛時代にあった――の中で「まったく目立たない者として生きる」ことは、たやすいことである。単純に、真心こめて、「すべての人と同じように」ことを行うこと、それだけで十分である。無名の者として生きる生活が、いわば、一人ひとりの個性の「目立つもの」を消してしまう。それは、幾分、ヴェールや制服がそれぞれの姿を画一化するのに似ている。

共同生活の中で目立たない存在として生きるこの忠実さの最も感動的なしるしの一つは、おそらく、スール・マリー・ベルナールが残した手記『魂の日記』[10]であろう。それは、ヌヴェールの本部修道院にほんとうに大切に保存されている。貴重な文献である。しかし、それは何頁かの貧しい紙切れ、つつましやかな手帳、使い古されたノートでしかない。一言で言うならば、貧しい修道女が使っていたささやかなものにすぎない。ごく小さな字の走り書き、無駄な場所を少しも残さないようにうずめられた、すぐ破れそうな小さな紙片、しかし、それは、燃えるような愛に輝いている！　飼い葉桶の藁に等しい、しかしそこには、恵みが憩っている！

神は、やがて、スール・マリー・ベルナールがなおいっそう「うずもれていく」ことを助けようとしておられる。ヌヴェールに着いてまだ三か月もたたないうちに、病気にかかる。常日頃慣れている痛ましい咳の発作の後、喀血した。そして、今は病室で休むこととなる。修道院における病室、それは修道院の他の場所よりも、なおいっそう「ひきこもって祈る場所」である。このようにして、その後ひじょうにしばしば自分が果たすべきこの「役目」、すなわち、「病気であるという役目」を引き受けることとなる。後に、ある病気の間に次のように書き記す。

「わたしの魂よ、よろこびなさい。何もなし得ない無力さのうちに隠れてとどまること、それはイエスの像にあやかることです。よろこびなさい。」

十二年にわたる修道生活の間に、スール・マリー・ベルナールが何度も病室にとどまったことを考えるとき、このことばは、ひじょうに深い霊的な重みを帯びるものとなる。再び共同体の生活をすることができるようになっても、スール・マリー・ベルナールはいつもある程度まで「病人」であった。そして、フォルカード司教とメール・ヴォーズーのことばを用いれば、「何の役にも立たない人間」であった。

スール・マリー・ベルナールが「隠れて生きる」ことをこのうえもなく助けたこの神の摂理は、「二度目」の誓願式[11]の日に再び示された。その日新しく誓願を立てたシスターたちは、一人ひとり「任命書」、すなわち修道会のある修道院において果たすべき役目を受ける。しかし、スール・マリー・ベルナールのためには任命書がなかった。定めに従って、スール・マリー・ベルナールはフォルカード司教の前にひざまずく。司教は、総長に尋ねる。「総長様、スール・マリー・ベルナールについては、どうなさるつもりですか」。メール・ジョゼフィンヌ・アンベールは、「この子は何もできません。どこかの修道院に派遣しても、そこで重荷になるだけでしょう」と答えた。そこで司教は、その若い誓願者にはっきりと言った。「わたしは、あなたに、『祈るという役目』を与えましょう」。

それは、「病気であるという役目」に次いで、その第二の「務め」となった。

スール・マリー・ベルナール自身の召し出しは、ますますはっきりとしてきた。

「ほんとうに、あなたは何の役にも立たないのですか」と、司教は引き続き尋ねた。スール・マリー・ベルナールは、「総長様がまちがわれることはありません。ほんとうに、そのとおりです！」と答えた。――「かわいそうに、それでは、あなたをどうしましょうか。それがほんとうであれば、修道会に入って、一体何の役に立つのでしょう」。――「それこそ、まさしく、ルルドでわたしが司教様に申し上げたことです。そのとき、司教様は、そんなことは全然かまわないとおしゃいました」。司教は、不意をつかれ、困ってしまった。しかし、ちょうど都合よく、ルルドの学校の台所でにんじんの皮むきをしていた小さなベルナデッタのことを思い出した。「あなたは、煎じ薬をコップに入れてもっていくことや、野菜の皮むきをすることはできるでしょう」。――「はい、やってみます」と、スール・マリー・ベルナールは答えた。

　このように答えるときの、なんという単純さ！　しかも、神の恵みに助けられて、謙遜に向かって飛翔するなんという心の躍動！

このようにして、スール・マリー・ベルナールは、ヌヴェールの本部修道院の隠れたところで生涯を送ることとなる。自分が病気でないときは、二つの「役目」、すなわち看護助手と香部屋係として働く。こうして、ただ神と病人とだけ、つまり、スール・マリー・ベルナールにとってはなおいっそうのこと、神とのみ直接のかかわりをもつこととなる。真心から愛していたこの二つの役目——そこにおいて、沈黙、孤独、人びとから忘れられて生きることへの渇きは、内的なよろこびのうちに癒されていく。

ある日、一人の神学生と話しているときに、スール・マリー・ベルナールは、アルスの主任司祭[12]がそれを聞けば、なるほどと思うようなことばを言った。

「おお！　祭壇に立つ司祭は、なんと美しいことでしょう！」

さらに忘れてならないことは、ミサ聖祭に用いられるすべての聖具を、どれほど細やかな心遣い、どれほどの愛をこめて取り扱っていたかということである。香部屋の仕事を手伝っていた一人のシスターは言う。「これらの聖具に触れるとき、スール・マリー・ベルナールは祈っていたということができます。それほど深い尊敬の心をこめて、聖具を扱っていました」。

病人に対しては、単なる愛情や同情をはるかに越えた愛をもって、その世話をし、大切にしていた。後にヌヴェール愛徳修道会のシスターになった昔からの友人に、スール・マリー・ベルナールは次のように話していた。

「もしあなたが病院に派遣されたら、貧しい人びとのうちに主をみることを忘れないように。その貧しい人が嫌気を起こさせるような人であればあるほど、なおいっそう、その人を愛さなければなりません。」

このようにはっきりとしたことばも、打ち明け話の一つであった。

謙遜について、もう一つの点を強調しなければならない。この点について、人びとはむしろ沈黙を守りたがる。しかし、「教育」修道会、つまり、「教養のある人びと」が志願者として来る修道会の状況の中の問題として考えてみると、このことはひじょうに大切な意味を帯びてくる。

生涯、ベルナデッタは綴りを覚えることが苦手であった。手記をみても、綴りの誤りのために、「本人自身が書いた文章」か、あるいは他の人の書いたものの「写し」かを、たやすく見分けることができるほどである。それは、ちょっとしたほほ笑ましいこととしてすまされるかもしれない。だが、実際には、これほどひどい無知が、どうして教養のないしるし、さらには、おそらく霊的な面でも欠けているしるしととられなかったことがあろうか。

ある日、皆の面前でメール・ヴォーズーは、あまりにも激しい口調で——そのことは後で後悔したに違いない——ベルナデッタのことを「羊飼い」と呼ぶ。この放言からも、何かを心にとどめておくべきではなかろうか。

確かに、聖母は、不思議なほどじょうずに、愛するベルナデッタを「隠された」。聖母は、ねたみ深い愛をもって、ベルナデッタをご自分のものとしてとっておかれた。ヌヴェール、それは、聖母から特別な恵みを受けたベルナデッタにとって、ナザレであり、そのナザレの沈黙であるといえよう。それはまた、エルサレム、ゲッセマネ、カルワリオでもあろう。この謙遜の奥底にあるもの、それは、ベルナデッタを変容していく神との一致、償い、イエスのおん苦しみにあずかること、主のみ心との親しい交わりである。そして、それは、「愛」そのものであるといえよう。

スール・マリー・ベルナールの歩んだ「平凡な道」

わたしたちは今、ベルナデッタの魂に関する研究の微妙な点にさしかかっている。いわゆるご出現という特別な恵み――それは、確かにすばらしい特別な恵みではあるが、結局のところ、聖性ということとはまったく無関係に、神から与えられ得る恵みである。このことについては、「示現を受けた」多くの人びとの例証をあげることもできる。このご出現という特別な恵みを別にすれば、スール・マリー・ベルナールの霊的な道は、「特別な」道と言い得るもの、または言うべきものであったのだろうか。スール・マリー・ベルナールは、本来の意味における「受動的な」状態にまで、神によって導き入れられたのだろうか。
偉大な神秘家たちは、貧しいピレネーの少女よりもよりよく、このように高い霊的な状態を分析することができ、神の例外的な導きについていろいろのことを書き残している。しかし、スール・マリー・ベルナールの魂の秘密を読みとるために、そのような記述に助けを求めることは、適当なことだろうか。

この研究を始めるにあたって、まず注意しておかなければならない一つのことは、スール・マリー・ベルナールが書き残した数々の感動的な紙片、小さな手記、あるいは手紙があるにもかかわらず、本来の意味で自分の魂を打ち明けているものは、ひじょうに少ないということである。そのうえ、わたしたちは、内省や内面の分析といった微細なことは苦手である魂とかかわっている。これらの資料を一生懸命、繰り返し読んでみても、わたしたちは、この魂を底の底まで知るというよりは、むしろ、それに近づくという印象を受ける。さらにその奥底にあるものをとらえることはできない。そして、その奥底にあるものとは、まさに、神との親しさそのものにほかならない。

残念なことに、わたしたちは、第五回目のご出現のときに、聖母がベルナデッタに教えられた祈りについて何も知らない。また、二月二十二日と二十三日に示された「三つの秘密」の内容も知らない！　もしそれらを知っていれば、多くの疑問は解けるだろう。しかし、わたしたちが現在知っている限りでは、「概略を知ること」で満足し、確実さを求めたり、あまりにも断定的な判断をすることを避けなければならない。

では、ベルナデッタの「霊的な道」を、どのように名づけるべきだろうか。それは、霊性の「平凡な道」の中に入るのか、あるいは「特殊な道」に入るのだろうか。

この点についてなされた三つの判断は、この魂の歩みを記す者にとって、十分に符合している。この三つというのは、疑いもなく、スール・マリー・ベルナールから最もしばしば心の打ち明けを聞いた、三人の人びとによるものである。

まず修練長メール・ヴォーズー。スール・マリー・ベルナールの修練期間中のある日のこと、メール・ヴォーズーは、「ベルナデッタは、平凡な道を歩んでいます」と言った。そして一九〇六年には、聖ベルナデッタとともに十一年間生活した後に、自分が受けた印象を要約して、今一度、ベルナデッタの中に「特別に目立ったこと」や「通常の域を越えたこと」を一切見たことがないと証言した。

マリスト会司祭ドゥース師は、ベルナデッタが修練院に入ったとき、ヌヴェールの本部修道院付司祭であった。師は、ベルナデッタの聴罪司祭であり、十年間黙想会を指導したが、ある日、他の修道者にはっきりと言った。「スール・マリー・ベルナールは、すぐれた修道女であった。しかし、特別なことは何もなかった」。

生涯を閉じる最後の三年間、その聴罪司祭および霊的指導者は、フェーヴル師であった。師が指導していたスール・マリー・ベルナールに関する記録――師の甥がまとめたもの――の中には、次のように記されている。それは、先の二人の判断に、さらに意味深いものを添える。「単純で、平凡な道をとおしてこの魂を聖化することは、神のご計画の中に入っていた」。

ある日、一人のシスターが、ご出現の後聖母から何か特別な恵みを受けたかと尋ねたとき、スール・マリー・ベルナールは、「いいえ、現在わたしは、みんなとまったく同じです」と答えた。この答えは、ベルナデッタについてなされた先の三つの判断を、一言で言い表しているのではないだろうか。

この感銘深い証言全体から、まず、第一に明らかになってくることは、次のことであるといえよう。たとえ「預言した」こと、あるいはその祈りによって思いがけない病気の治癒が得られたことを認めるとしても、スール・マリー・ベルナールの歩んだ道は、「特別な道」ではなく、むしろ平凡な道、単純な道、すべての人に共通の道であると言うべきである。

さて、神秘の問題は、まさにこの点にある。つまり、そこには、平凡な道を生きる非凡な生き方があるのではないかということである。魂の状態の例外的な特長が見いだされるのは、必ずしも認識あるいは観想の次元においてではない。むしろ、常に信仰の秘義に密接した生き方の次元、また熱心と愛の次元においてである。このような観点から見れば、直ちにその答えが得られる。

すなわち、信仰の最も偉大な秘義、特に恵みの尊さ、罪の重大さ、主のご受難、贖い、聖体祭儀、天国の美しさについて、スール・マリー・ベルナールは、例外的な深い理解をもっていた。しかも、スール・マリー・ベルナールのうちには、この理解に応じて、信仰の秘義に密接して生きる熱心と、願望とがあった。そして、このことは、どのキリスト者にでもみられるようなことではない。

それゆえ、その生涯を歴史的に研究する者にとって、探究の方法はおのずから決まってくる。聖女自身による心の披瀝、あるいは同時代の人びとの証言をとおして、その魂を神に向かって駆り立てた愛の躍動をとらえることが必要である。できる限りその愛の鼓動をとらえ、その激しさがどれほどのものであるかを知らなければならない。難しいことではある。だが、それは、神の助けに支えられるならば、可能である。

「わたしにとって生きるということは、キリストである」（フィリピ1・21）

今ここで問題となっているのは愛に関することであるから、まず、この愛がだれに向けられているのかを明確にしておかなければならない。種々の資料は、これをはっきりと示している。

スール・マリー・ベルナールの愛は、それほど、創造主、あるいは世界を治められる神に向けられてはいない。また、心の披瀝の中にそのような愛が全然見いだされないわけではないが、それほど、三位一体としての神に向けられているのでもない。その愛は、むしろ人となられた神、イエス・キリスト、特に十字架に釘づけられたイエスに向かっている。その魂の霊的躍動は、本質的なことに関しては、聖パウロの心の躍動にひじょうによく似ている。スール・マリー・ベルナールは、聖パウロとともに、心からよろこんで、「わたしにとって生きるということは、キリストである」と言うだろう。しかも、なおそれに、「わたしは、イエス・キリスト、しかも十字架につけられたキリスト以外のことは何も知らない」とつけ加えるだろう。

罪人のためにご受難にまでいたるイエス、ご自分の身に世界のすべての罪を担われたイエス、ある日カルワリオにおいてご自身をささげ尽くされ、日々ミサの聖なる犠牲(いけにえ)としてご自身をささげられるイエス。スール・マリー・ベルナールが心の底から愛するのは、まさに、このイエスである。十字架に釘づける愛、そして心と心を永遠に一致させる愛……この世では同じような苦しみを生きる愛、しかし、すでに天国におけるまったき、決定的な一致をかいま見、望みによってそれを自分のものとしている愛。それは、贖いの秘儀を中心とするひじょうに「福音的な」愛、ひじょうにマリア的な愛でもある。

スール・マリー・ベルナールは、一八七三年の手記に次のように書いている。

「イエスこそ、わたしの誉れ、わたしの心をとりこにするかた、わたしの心の心、わたしを生かすもの、わたしの愛するかた、わたしの故郷(ふるさと)、この世における天国です。わたしの宝、愛であるイエス、しかも十字架に釘づけられたイエスだけが、わたしのしあわせなのです。」

そして、なおいっそう親しみをこめた調子で、次のように心を打ち明けている。それは、おそらく『魂の日記』の最も美しい箇所だろう。

「聖なる浄配イエスは、目立たない、隠れた生活を愛する心を与えてくださいました。主はしばしば、主にすべてを犠牲(いけにえ)としてささげ尽くすまで、わたしの心は決して安らぎを知らないだろうと言われました。また、わたし自身、自分の生き方をはっきりとさせることができるために、死を迎えるときには、イエス、しかも十字架に釘づけられたイエス以外に慰め主はないということを、たびたび思い起こさせてくださいました。主だけが忠実な友。冷たくなった指で主の十字架を握りしめて、お墓までもって行くのです。おお、主以外の何ものかに執着すること、それこそ狂気中の狂気です。」

ひじょうに貴重な魂の告白である。ためらいがちな文体そのものと、原文における綴りの誤りからみて、それがまったくスール・マリー・ベルナール自身の霊の息吹からあふれ出たものであることがわかる。なおそのうえに、この魂の告白は、わずかなりとも、わたしたちをその魂の動きそのものの中に導き入れてくれる。この告白だけでも、長い霊的分析をする価値があるといえよう！

しかし、それを一読するだけでもわかるように、スール・マリー・ベルナールの

「イエス」に対する愛は、主ご自身に対する心からの真実な愛、ひじょうに現実的な、ひじょうに生き生きとした愛、絶え間なく互いに犠牲と約束を交わし合い、全生涯にわたって生き抜いた親しい交わりであったことが、はっきりと現れている。主の偉大な友のことを思い起こすとすれば、それは使徒聖ヨハネと、そのキリストとの「親しさ」についてであろう。あるいはまた、復活の朝、空の墓の傍らに立って、自分が愛するかたのみ名を呼ぶマグダラのマリア、あるいは聖パウロ自身と、そのキリスト・イエスに対する情熱について考えるべきだろう。

これらの比較は、決してベルナデッタに「影を投げかける」ものではない。ベルナデッタ自身の愛は、これらの偉大な聖人たちの愛と同質のものである。その愛は、主ご自身に向けられた、単純な、直接的な愛である。それは、認識というよりも、むしろ「情熱」である。その愛は、ベルナデッタの全存在、つまりその心と、魂と、霊に浸透する。「わたしにとって生きるということは、キリストである」。これこそ、確かに、他の聖人たちのように熱烈な雄弁さをもってではないが、スール・マリー・ベルナールが、十字架を見つめながら、同じように真心をこめて言い表そうとすることである。

「一致、イエスとの親しい一致、聖ヨハネのように、きよさと愛におけるイエスとの深い心の一致。」

「わたしはわたしの心の愛するものを探そう」（雅歌３・２）

この福音のイエス、この生きておられるイエス。スール・マリー・ベルナールは、主を見いだすことのできるいたるところで、愛をもって、このイエスを探し、追い求める。「新約聖書と『キリストにならう』は、スール・マリー・ベルナールが特に愛していた本でした」と、修練期時代の修友の一人は言っている。

スール・マリー・ベルナールは、「愛の最大の証し」である主のご受難をたゆみなく観想することをとおして、イエスを探し求める。修練期の最初から、仕事あるいは健康が許す限り、毎日十字架の道行きをする。そして十二年間にわたる修道生活をとおしてこの習慣を保ち続ける。あたかも、このように一歩一歩キリストに従うことに、深い、満たされた、本質的なよろこびを見いだしているかのように……。健康であるときには、聖堂で石だたみの上にひざまずいて、十字架の道行きをする。病気のときには、貧しい聖画を見つめながら、心の中で道行きをする。この聖画は、今もなお本部修道院に保存されており、十四留を描いたものである。友人との会話の中でスール・マリー・ベルナールがもらした一言は、どれほど単純な念禱、愛に満ちた観想の姿勢をもって、主とともにカルワリオの道を歩んだかを示している。

「ゲッセマネの園、あるいは十字架のもとに身を置き、そこにとどまりなさい。そうすれば、主があなたに語りかけてくださるでしょう。そして、あなたは、主のみことばに耳を傾けなさい。」

ベタニアのマリアのように、スール・マリー・ベルナールは、イエスを見つめ、そのみことばを心から受け入れることをよろこびとする。

その信仰のあらわれそのものからみると、スール・マリー・ベルナールは、特に聖体祭儀のうちに、生きておられるイエスを探し求める。聖体拝領を準備するための潜心した姿、感謝の祈りの間、主の現存のうちに全存在がまったく「吸い込まれた」ようになっている様子については、スール・マリー・ベルナールが聖体拝領をするのを見たシスターたちが、十分に語り尽くしている。しかし、その主との親しい対話の秘密を伝えてくれるものは、わたしたちの手元にはごくわずかしかない。

たとえば、会話中にその口からもれたことばとして、次のようなものがある。「あんなに長い間感謝の祈りをするために、あなたは、どのようにしているのですか」と一人のシスターが尋ねた。これに対して、スール・マリー・ベルナールは次のように答えた。

「おん子イエス様を与えてくださるのは、聖母だと思います。わたしは、主をお迎えし、主に語りかけます。そして、イエス様も、わたしに語りかけてくださいます。」

この点について最も多くの光を投げかけてくれる心の披瀝は、やはり『魂の日記』の中に見いだされる。

「わたしは無に等しい者でした。イエスは、この虚無にすぎないわたしを、大いなる者としてくださいました。」

ベルナデッタは、ご出現について語っているのだろうか。いや、そうではない。むしろ、すべてのご出現がどれほどきよらかで、美しいとしても、そのすべてにまさると思われる特別な恵みについて、話しているのである。

「そうです、聖体拝領によって、わたしはいわば神になるのですから。イエスはわたしにみ心を与えてくださいます。それゆえ、わたしはイエスのみ心にまったく一致し、イエスの花嫁、イエスの友、つまり、もう一人のイエスとなるのです。」

下手な、おそらくぎこちないそのことばの中に、聖パウロのあの情熱に燃えた、美しい叫びに似た何ものかが見いだされる。

「ですから、わたしはイエスによって生きなければなりません。」

何人かの修友は、感謝の祈りの間、スール・マリー・ベルナールの顔が、「マッサビエルにおける脱魂状態のときのように輝いていた」と言っている。作りごとにほとんど耳をかさないルルドの主任司祭は、自分の小教区にいたこの小さな少女について、すでに同じようなことを言っていた。確かに、聖体拝領、より正確に言えば、ミサ聖祭は、スール・マリー・ベルナールにとって、その霊的生活の最高のときであった。病気のときにミサにあずかれないことは、いかなる苦しみよりもつらいことであった。

『魂の日記』に記されている次のことばは、なんと美しいことだろう。またそれは、どれほど、その魂の深い鼓動をわたしたちに伝えてくれることだろう。

「タボル山からカルワリオの丘へ行かなければならないことがあるとしても、イエスとともに、カルワリオの丘からタボル山に戻って来るのです。そこでは、天国のよろこびを前もって味わうことができます。」

タボル山を聖体祭儀と考えるならば、確かに、スール・マリー・ベルナールを生かしていた霊的な幸せ、希望、愛の深みを、これ以上印象的に要約する表現はないだろう。[13]

イエス・キリストご自身との、これほどまでに身近な親しさを探し求めて、スール・マリー・ベルナールはよろこんでみ心の信心を受け入れ、自分のものとしたに違いない。スール・マリー・ベルナールのうちにこの信心が深まっていったのは、おそらく黙想会指導者――しばしばイエズス会司祭であった――の影響であった。しかし、実際には、このような刺激は全然必要ではなかった。その魂は、おのずからみ心に向かっていった。そして、次のように記している。

「おお、わたしたちと弱さや苦しみをともにしてくださるイエスのみ心よ、わたしの涙の一滴一滴、苦悩の叫びの一つ一つを、すべての苦しむ人、泣く人、あなたを忘れている人のためにささげる嘆願として、お受けください。」

フェーヴル師は次のように書く。「スール・マリー・ベルナールが人知れず、一生懸命に心に秘めていた願いは、イエスのみ心のためにささげられる犠牲(いけにえ)の供えものとなることであった」。

他方、罪の重大さを感じとる明晰な目と心の持ち主にとって、犠牲の供えものとなること、それは一体何を意味するのだろうか。スール・マリー・ベルナールの霊的な思いは、絶えず「あわれな罪人」、あの聖母マリアへの祈りの中にある罪人に向かう。その思いは、文字どおり、罪人の回心、その救いにとらえられていた。その心は、罪人についての思いでいっぱいであった。

一八七二年四月三日、復活の水曜日に、スール・マリー・ベルナールは、ルルドの学校の院長メール・アレクサンドリンヌ・ロックに、次のようなすばらしい手紙を送っている。

「主に対して、どれほどの罪が犯されていることでしょう！　これらのあわれな罪人が回心するように、その人びとのためにたくさん祈りましょう！　要するに、この人びとは、わたしたちの兄弟なのです。」

霊的な兄弟、世の罪を担ってくださる神の小羊、イエス・キリストにおける兄弟。そして、その主とともに、スール・マリー・ベルナールは、自ら世の罪を担うのである！　しばしばその心の最も深い思いを打ち明けられていた一人のシスターは、次のような証言をすることができた。

「スール・マリー・ベルナールは、煉獄（れんごく）の霊魂のために、いつも祈っていました。しかし、それにもまして、特に罪人の回心のために祈っていました。そして、そのために、自分の苦しみをささげていたと思います。何かつまずきの知らせを聞くとき、スール・マリー・ベルナールは深い痛みを感じていました。

そして、そのようなときにこそ、もっと熱心に祈り、あわれな罪人のために、ますます熱心に自分の苦しみをささげていました。」

「タボル山からカルワリオの丘へ、そしてカルワリオの丘からタボル山に」行くとき、スール・マリー・ベルナールは、一人でそこへ行くのではなかった。いつも、とりわけ愛する者である「あわれな罪人」とともに行った。というのも、スール・マリー・ベルナールにとって、それが「天国のよろこびを前もって味わうこと」であるとすれば、それは、自分一人だけで入ることを望まない天国、しかもあまりにも美しく、あまりにも望ましいものであることを知っているだけに、罪人が自分とともにそこに入ることを望まずにはいられない天国であった。

事実、スール・マリー・ベルナールは、聖母が自分にされた「この世界においてではなく、他の世界において幸せになる」という約束を、そのまま受けとめて、真実に生きようとした。

このように、スール・マリー・ベルナールは、真に、福音書の聖なる人びとの群れ、聖母とともにナザレのイエスを見、そのみことばを聞いて、まったく単純に、あますところなく、心の底から主に自身自身をささげた人びとの家族の一人として、その姿を現してくる。そして、その愛は、その人びとの愛と同じように燃えあがる。

聖母のように——恵みに対する素直さ——

この尊い十字架の道の傍らに、今一度しばらく立ち止まり、この魂の遍歴を探求する人びとが、だれしも自問せずにはいられない一つの問題を明確にするように試みてみよう。つまり、ベルナデッタとスール・マリー・ベルナールの間に、霊性の相違があるかという問題である。ヌヴェール愛徳修道会に入会したことは、ルルド時代のベルナデッタの霊的生活との断絶、非連続性を示すものなのだろうか。

この問いに対して、はっきり「否」と答えなければならない。いや、「断絶」はなかった。むしろ逆に、そこには開花、有機的な成長、円熟、完成がみられた。

スール・マリー・ベルナールはベルナデッタであることを止めない。ヌヴェールは、マッサビエルの洞窟、ルルドの学校の延長であり、それを完成する。洞窟の「女のかた」を見つめながら、ロザリオの珠をつまぐっていたあの少女を焼き尽くしていった愛の炎は、ヌヴェールにおける修道女、スール・マリー・ベルナールのうちにおいて、ますます強く燃え上がっていく。しかし、それは、まったく同じ愛の炎である。聖霊は最後まで忠実に、この魂を導いていかれる。修道生活の道は、マッサビエルの小道の延長である。昨日と同じく今日も、ベルナデッタの道は、イエス・キリストに向かうマリアの愛の道である。

その霊性は、やはり、自分のうちにおける恵みの最も小さな呼びかけにも、常に注意深く耳を傾け、直ちにそれにこたえることにある。それは、そのかたにおいて、わたしたちが「アッバ、父よ」と呼ぶ聖霊が、かつて聖母マリアのひじょうにきよらかなご胎内にイエスのおん体を形づくられたように、自分自身のうちにも、イエスの生きた似像(にすがた)を形づくってくださることをベルナデッタが知っているからである。

ベルナデッタが恐れていること、それは、このような聖霊の息吹き、このような愛への呼びかけを、ほんの少しでもなおざりにしたのではないかということである。

「わたしは、こんなにたくさんの恵みを頂きました」。ベルナデッタはときどきこう言って、ふるえおののく。

この霊性は、「無原罪のおん宿り」の偉大な神秘に直接由来するものである。というのは、おとめマリアが、神から、イエスのおん母および人類のおん母としての役割を果たすように招かれたのは、最初の恵みに忠実であったからである。無原罪のおん宿りの最初の「フィアット」"fiat"(おことばどおり、この身になりますように)に、お告げの「フィアット」、そしてカルワリオの丘における「フィアット」がこだまする。実際、スール・マリー・ベルナールは、ベルナデッタと呼ばれていたときと同じように、み母、おとめマリアと同じ道を歩む。

このことを認めるために何らかの証拠が必要であるとすれば、スール・マリー・ベルナールがルルドの出来事を忠実に思い起こしていることが、その一つの証拠、しかも決定的な証拠であろう。修道会に入会した最初の日に、ヌヴェールの長上がマッサビエルのご出現について、修道院のシスター全員に話すように求めたこと、そしてその後、この点について一切話さないように命じたことを思い出してほしい。ベルナデッタは、忠実にそれに従った。しかし、ある日――ベルナデッタはすでに誓願者であった――、メール・ジョゼフィンヌ・フォレスティエが本人の前で、ルルドにおける式典の思い出に触れたとき、スール・マリー・ベルナールは、「ルルド！」と叫んだ。メール・フォレスティエは引き続き語っている。「スール・マリー・ベルナールは、それ以上何も言いませんでした。しかしわたしは、その心が洞窟のご出現の場面でいっぱいになっているのを感じました」。

他方、ある日のこと、スール・マリー・ベルナール自身、ある人に次のように心を打ち明けた。「わたしは毎日、心の中で、洞窟まで小さな巡礼をします」。

修練院に入った数日後、ルルドの学校のシスターたちに、次のような美しいことばを書いている。

「どうぞ、わたしのためにお祈りしてくださいますように。特に、懐かしい洞窟に行かれるときに。わたしは、あの大好きな洞窟のもとにしっかりと結ばれているので、皆様は、心の中で、そこにわたしを見いだしてくださることができるでしょう。」

さらにその数年後に、そして死にいたるまで、スール・マリー・ベルナールは、繰り返し同じように書くことができたに違いない。生涯の終わりごろ、洞窟でみたこと、特に聖母の美しさとその約束を忘れていないかと尋ねられたとき、スール・マリー・ベルナールは生き生きと答えた。

「それを忘れたかですって、おお！ いいえ、決して忘れていません！ それはいつもここにあります！」そう言いながら、元気よく右手を額のところまでもっていった。実際、マッサビエルは、いわば、その生涯の背景をなすものであり、その魂の雰囲気をつくり出すものである。その全生涯は、この最初の恵みを土台として浮かびあがってくる。

フェーヴル師の回想録の中には、一つの不思議な記述がある。幾分雄弁すぎる表現ではあるが、それは師の指導を受けていたスール・マリー・ベルナールの霊的生活のひじょうに貴重な鍵をわたしたちに与えてくれる。師は次のように言っている。「修道生活をとおして、スール・マリー・ベルナールは心の奥深くに、かつて自分を洞窟へ引き寄せたあの神秘的な力に似た何ものかを感じ続けるだろう。その招きは、あるときには、ルルドで生活していたとき同じように、生き生きと力強く、スール・マリー・ベルナールを離脱とキリスト教的諸徳の実践に向かわせるだろう」。その霊的指導者のことばによれば、スール・マリー・ベルナールは、修道生活を生き、聖性に向かって歩むために、一八五八年にルルドで体験したのと同じような「呼びかけ」、「強い力」を体験したようである。そして、ご出現のときの神の導きの体験が、後に、自分のうちに働く恵みに気づき、それにより柔軟に従うことを助けたように思われる。それは何も驚くべきことではない。むしろ、この意味において、ヌヴェールはわたしたちが考える以上に、ルルドの継続であるといえよう。

わたしたちがこの貴重な証言をあえて取り上げないまでも、一つの重大な事実がある。しかも、それは議論の余地のないものである。それを平凡な道とか特殊な道、あるいは普通の道とか神秘の道というように、どのような呼び方をするとしても、修道生活全体にわたって、スール・マリー・ベルナールの「底を流れる」祈り、その好みの祈りは、ロザリオの祈りであった。最も深い洞察力をもってその伝記を書いたメール・ボルドナーヴは、「ロザリオの祈りは、ベルナデッタの最も愛した祈りであった」と記している。このうえもなく貴重な証言である！

ベルナデッタを知っているいろいろの人たちが語っている数々の事実が、それを中心として、そのまわりを取り囲んでいる。修練期のときから、そのロザリオの唱え方は、修友に深い感銘を与える。「確かに、かつて聖母が十字架のしるしをされるのをみたときのように」、スール・マリー・ベルナールは、ゆっくりと美しい十字架のしるしをする。そして、主の祈り、聖母マリアへの祈り、栄唱を唱えるときには、「ルルドにおいてと同じように、聖母をみている」かのようである。このように、全生涯にわたって、スール・マリー・ベルナールはロザリオの珠をつまぐり続ける。聖堂で長い間聖体訪問をするとき、その指は、しばしばロザリオの珠をつまぐっている。夕方眠りにつくときにも、それを唱える。

また、ある姉妹にロザリオの祈りを勧め、次のようにつけ加える。「お母さん！お母さん！と言いながら眠る小さな子どものようにしてみなさい」。多くの修友が受けた印象もまた、スール・マリー・ベルナールが、「すべてにおいてマリアをみていた」ということであった。修友の一人は言っている。「聖母に祈っていたとき、スール・マリー・ベルナールは、今もなお聖母をみているといえるほどでした」。病気のときにも、一日中ロザリオをつまぐる。眠れない苦しい夜の間も、なおロザリオの珠をつまぐる。

これほど真面目な証言に、なお一つの逸話を添えることができるとすれば、次のようなことがあった。ヌヴェール愛徳修道会の慣習に従って、スール・マリー・ベルナールは初誓願の日に、十字架と会則とともに、修道者のロザリオを受けた。しかし、その修道生活の間に、何度も代わりのロザリオを与えなければならなかった。というのも、スール・マリー・ベルナールは、よくロザリオを「失ってしまった」からである。「どのロザリオも、わたしのポケットに住みつくことができないなんて、不思議なこと」と、ある日一人の志願者に話した。実際、人びとは敬虔な心をもって、そのロザリオを盗んだのである。その日スール・マリー・ベルナールが探していたひもでつないだロザリオは、ちょうど前夜につまぐっていたロザリオであった。それが看護のシスターの敬虔な望みを駆り立てたことは、よく理解できる。このような出来事は、少なくとも、かつてルルドでそうであったように、ヌヴェールにおいても、人びとが、スール・マリー・ベルナールのロザリオには恵みがあると心から信じていたことを、明らかに示している。

ここで、わたしたちにとって、ただ一つのことが大切な意味をもっている。それは、ロザリオを唱えることに対する忠実さである。このことは、スール・マリー・ベルナールに会った人、あるいはその話を聞いたすべての人が証言していることでもある。ロザリオを唱えているとき、スール・マリー・ベルナールは、めったに見られないほど深く潜心した様子で、内的な観想にまったく吸い込まれたようになり、そこには、「純粋な祈り」と言い得るような深い感銘をまわりいっぱいにみなぎらせるものがあった。そのとき聖母とスール・マリー・ベルナールとの間に交わされたことについては、わたしたちは何も知らず、またこれからも決して知ることはできないだろう。

しかし、種々の証言の中で何度も取り上げられた一つの特長は、おそらく、神秘の奥にあるものを、幾分なりともかい間みさせてくれるだろう。それは、スール・マリー・ベルナールが声を出してロザリオを唱える場合、「罪深いわたしたち!」ということばを口にするときに、その声に深いひびきがこめられていたということである。ヌヴェールが真にルルドの延長であるということを、どうして疑うことができようか。ルルドでも、ヌヴェールでも、霊的な「道」は、常にまったく同じである。自分自身を全然意識しないところまでいきつく謙遜の中心には、イエスとマリアに対する限りない愛がある。スール・マリー・ベルナールは、一八七三年に次のように書いている。

「わたしの神、イエスよ、すべてを越えてあなたを愛します。」

「もう迷うことのないように」（雅歌1・7）

イエスは、心から主を迎えたいと熱望しているこの魂に、こたえられた。スール・マリー・ベルナールは、惜しみなく自分自身をささげる。主は、さまざまの形をとって訪れられる。この「愛の道」の全過程をとおして、主は、主を探し求めるスール・マリー・ベルナールに、本人が望んでいる答え、励まし、確信を与えてくださる。主は、日々、スール・マリー・ベルナールを前進させ、よりいっそう迫るような形で偉大な「愛」の道に導き入れられる。

ヌヴェール愛徳修道会の会則とスール・マリー・ベルナールの魂の間には、すばらしい霊的調和がみられる。一八七〇年七月二十二日、教皇ピオ九世は同修道会の会憲を認可した。その中の一文は、スール・マリー・ベルナールの心を引きつけたに違いない。それは、修道会が「最も低い立場に置かれている人びとへの奉仕と、イエス・キリストの十字架にささげられた修道会」として提示されていることである。この会憲は、スール・マリー・ベルナールが永久誓願を立てるときには施行されることとなる。しかし、修練期のときから受けるすべての教えは、すでに修道会創立者ヨハネ・バプティスト・ドゥラヴェンヌ師の『霊的勧告集』の精神に満ちている。この貴重な小さな本の中に記されている数々の勧めと指針は、その修道生活をとおして、スール・マリー・ベルナールの魂のうちに、どれほど深いひびきを見いだしたことだろう。

聖書には、「聖霊は、神の心の奥底さえも究(きわ)める。それゆえ、絶えず神の霊により頼まなければならない」と書かれている。しかし、特に念禱および神の導きに関するドゥラヴェンヌ師の勧めは、スール・マリー・ベルナールの霊的体験にあまりにもよく合致していたので、その魂のうちに、安心感とよろこびを呼びさまさずにはおかない。「祈りは、魂と主との聖なる対話である。心は真の念禱の場である。それは、友が友に語るように、魂が主と向かい合って、神に語りかける聖なる山である」。マッサビエルにおける聖母との対話の、なんとすばらしい注釈であろう！

実際、修道生活の最初から、スール・マリー・ベルナールは、この教え——ここでは、そのいくつかの特長を示すにとどめる——から、ただ単に基本的な原則を学んだだけではない。この本は、一八七一年に、ついに完全な形をとって出版されたので、スール・マリー・ベルナールは、それを読み、そこからまったく望みのままに霊的な糧を得ることができた。

ヌヴェール愛徳修道会の会憲にいのちを与え、修道女の養成に聖霊の息吹きを与えたのは、まさに、このドゥラヴェンヌ師の精神である。スール・マリー・ベルナールは、この会憲のうちに、主イエスのみ旨と愛を見いだし得ることを確信し、心からそれに従って生きた。一八七三年の黙想中には、「共同生活、聖なる生活」と書いている。そして、病気のために病室にいたときにさえ、修道院の日課にそのまま従うことを望んだほどであった。『魂の日記』の中には、このうえもなく感動的な一頁がある。それは最後の頁で、最も乱雑で、最も乱れた書き方がされている頁である。おそらくひじょうに疲れているときに、病床で書かれたものなのだろう。ひじょうに素朴であるが、ひじょうに美しいこの頁は、聖女の霊的遺言であると考えられてよいだろう。

「聖性、しかもまったき聖性に達するための確実な方法。
一、神がわたしたちのために備えてくださる手段——わたしたちを照らす光、すなわち会則および種々の規則。
二、わたしたちの側から——善意、すなわち精力的で、勇気をもって、たゆみなく、最後まで堅忍する意志。」

「わたしたちを照らす光、すなわち会則および種々の規則」……「まったき聖性」に達するために、「神がわたしたちのために備えてくださる手段」。ここにはおそらく、修道生活について書かれた最も美しい、最も深い表現の一つがある。また、それは、ベルナデッタの魂が、自分自身の思いを最もよく表現したことばの一つであるといえよう。

その魂を照らし、霊的な道に進歩することを助けるために、ヌヴェールには、もう一つのひじょうに貴重な助けがあった。それは、スール・マリー・ベルナールがここで生活していた間に、相次いで本部修道院に来た二人の修道院付司祭、ドゥース師とフェーヴル師の「霊的指導」であった。二人とも、その特別な道を明確に識別し、その道を歩むようにはっきりと勧めた。

すでに述べたとおり、ドゥース師は、スール・マリー・ベルナールが修道会に入会したときから一八七六年まで、その告解を聞き、霊的指導にあたった。フェーヴル師は、最も大切な最後の二年間、聴罪司祭、霊的指導者の役目を果たした。師は、特に最後の病気の間、スール・マリー・ベルナールの心の打ち明けを聞いた人であった。この二人の司祭が与えた霊的な勧めのこだまは、まず、この二人の司祭自身の回想録の中に見いだされる。また、少なくともドゥース師に関しては、特別な光を受けたある会話の後に、スール・マリー・ベルナールが小さな手帳に書きとめた記録をとおして、それを伺うことができる。この場合には、冒頭に"C.P.D."すなわち「ドゥース師の勧め」"Conseils du Père Douce"と書かれているので、わたしたちはこれらの「指導」をたやすく見分けることができる。そのうちの二つを、ここに引用することとしよう。そこには、ドゥース師から受けた霊的指針が、特に輝かしい方法で記されている。

一八七四年に、師は次のように勧めている。「恐れずに……勇気を出して、心からよろこんで、イエスの愛のために、あなたの心のうちに隠された十字架を担いなさい。聖母が言われた『償い！　償い！』ということばを、しばしば思い起こしなさい。あなたは、まず、だれよりも先にこれを実行しなければなりません。そのために、姉妹からどのような苦しみを受けても、それらを皆、この意向のために、沈黙のうちに耐え忍ばなければなりません。それは、イエスとマリアに栄光を帰するためです」。

一年後の一八七五年七月に、スール・マリー・ベルナールは、「ドゥース師の勧め」について、新たに次のように書きとめている。

「この前の黙想会のときに、マリアにならって、いつも、まったく隠れてとどまるようにと勧めました。今から、あなたは、マリアとともに十字架のもとにとどまり、よりいっそう隠れた者となりなさい。姉妹や長上からどのような苦しみを受けても、それらをすべて、主からくるものとして受け入れなさい。神よ、わたしに信仰の精神をお与えください！　お墓に埋葬されるように、主のみ心の奥深くに身を沈めなさい。聖母が言われた『償い！　償い！』ということばを思い起こしなさい。」

この二つの勧めを合わせてみると、スール・マリー・ベルナールが一八七四年の間に、ひじょうに大切な「一歩」をふみ出したことがわかる。この点については、後に触れることとしよう。しかし、ここで注目すべき大切なことは、ドゥース師の指導が、「あなたは、まず、だれよりも先に」、ルルドの聖母の勧めを「実行する者でなければなりません」という方向づけを与えていることである。ヌヴェール愛徳修道会のシスターとしての召命の中で、スール・マリー・ベルナールは、このような個人的な召し出しを生きていくのである。

フェーヴル師の勧めは、スール・マリー・ベルナールに、確信をもってこの道を歩ませる。ピック師は次のように書いている。「わたしの伯父（フェーヴル師）が抱いていたひじょうにはっきりした考えによれば、スール・マリー・ベルナールは、ルルドで無原罪のマリアのおん口から受けた教えを、本部修道院において『生きる』使命をもっていた。それは、罪人のために償いをすること、祈ること、自我を抑制すること、苦しむことであった」。

これらの貴重な霊的指導をとおして、イエスは、スール・マリー・ベルナールに、どこで、どのように、愛への召し出しを全面的に実現させたいと望んでおられるかを示された。当時ヌヴェールの本部修道院で行われたいくつかの「黙想会」を、これらの霊的指導の中に加えることができよう。修道院付司祭が自らこれらの黙想会を指導しない場合、長上たちは、しばしばイエズス会の司祭にこれを依頼した。このようにして、一八六六年十月の黙想会は、ポーレ師の指導によるものであった。

一八六八年から一八七八年の黙想会指導者の中に、聖女の霊的成長に深い影響を及ぼしたように思われる一人の司祭が、何度か姿を現す。それは、セカイユ師である。師は、特に本部修道院で、一八七三年と一八七四年の黙想会を指導する。貴重な『魂の日記』のかなりの部分は、この黙想会の余韻を著しくとどめている。しかし、それがだれであろうと、黙想会の指導にあたるイエズス会士は、常にロヨラの聖イグナチオの「霊操」の息吹きを受けている。事実、スール・マリー・ベルナールの手記の多くは、イグナチオ的なテーマの影響があったことを示している。

これらの心の披瀝を取り上げてみると、霊操の中で、その魂に深い感銘を与え、その深みに浸透し、霊的な糧となったのは、思索を必要とするすばらしい黙想よりも、むしろ単純な福音的観想であることが、すぐにわかる。スール・マリー・ベルナールは、それぞれの霊操の終わりにある「対話」を味わい、霊的な「考え」を記した後に、それを直ちに個人的な「祈り」に変えることを常としている。また、聖イグナチオがあれほど勧めた、「友が友に対する」ように、おん父、キリスト、聖母に語りかけ、その親しい対話を、「主の祈り」あるいは「聖母マリアへの祈り」

で終えるという、あの深い愛情と真心に満ちた状態に、おのずから入っていく。

また、イグナチオの勧めに従って、自分が「甘美な味わいと慰め」を見いだす場面やことばに、ゆっくりととどまることを愛する。小さな魂にとってひじょうに単純で、ひじょうにたやすいこれらの「祈り方」についての教えは、イグナチオが、まさに「主の祈り」を例にとって、これを説明しているだけに、なおいっそうその心をよろこばせたに違いない。

しかし、本人が書きとめた記録をとおしてはっきりわかることは、黙想会のたびに、霊操によって、スール・マリー・ベルナールが常によりいっそう十字架に釘づけられたイエスの愛に駆り立てられていくことである。その魂は、聖イグナチオが「謙遜の第三段階」と呼ぶ基本的な霊的心構えに、たやすく入っていく。その霊的な心構えとは、人間を罪から救うために、自ら貧しい者となり、さげすまれ、苦しみ、ついには受難にまでいたるイエスを、何ものにもまさって愛することにほかならない。スール・マリー・ベルナールは、そこでくつろいだ気分になり、自分がよく知っている空気、自分の心をのびのびとさせ、開花させてくれる空気を呼吸する。そして、そこで、真の自分に「再び出会う」。

スール・マリー・ベルナールは、自分自身のうちにある呼びかけに従って、イグナチオが教えたこの神秘体験のすべてを、謙遜に自分のものとして吸収していった。そして、自分自身の飢えを満たすために必要な糧を、そこから得た。その手記は、ことばよりも、むしろ全体のひびきによって、どこまでこの霊性がスール・マリー・ベルナールにとって親しいものとなっていたかを示している。

「イエスに対する愛ゆえに、種々の欠乏、苦しみ、辱めを、わたしは心から受け入れます。イエスとマリアのように、それらをすべて神の栄光のために……。」

「神のより大いなる栄光のために、大切なことは、多くのことをなすことではなく、心をこめて果たすことです。」

「おお、イエスよ、あなたの十字架のみ旗のもとに、わたしをとどまらせてください。」

「わたしがここに来たのは、心から主を愛するため、ただそのためだけではなかったでしょうか。この愛の証として、マリアにならい、心からすすんで苦しみを耐え忍び、主にすべてを犠牲(いけにえ)としてささげなければなりません。」

これほど熱心に、しかも、主の贖いとこれほどまで一つになった精神をもって、自分自身をささげたこの惜しみない心に対して、主は、主を愛する機会を与えずにはおかれなかった。主は、ご自身の十字架を与えられた。しかも存分に与えられた。まず、だれの目にも最も明らかな肉体的苦しみ、すなわち、周囲の人びとがだれでも認めることができた苦しみ。十二年間の修道生活のうちのどれほどの月日を、病人として、病室で過ごしたことだろう。ルルドにいたころ、かつてヌヴェールの長上たちが、あまりにも人間的な賢明さのために恐れていたように、スール・マリー・ベルナールは、真に「病室の大黒柱」であった。

一つの出来事が、それを雄弁に物語っている。すなわち、修道生活の間に、スール・マリー・ベルナールは三度病者の塗油を受けた。最初は、一八六六年十月二十五日、修練期中のことであった。二度目は一八七三年六月三日、三度目は一八七九年三月二十八日、金曜日、死の三週間前のことであった。しかも、ルルドでもすでに、一八六二年四月二十八日に最後の秘跡を受けたことがあった。

たとえ回復して、病室あるいは香部屋の仕事に励んでいたときでも、どれほどの苦しみがあったことだろう！　喘息は、決して治ることはなかった。しかし、人びとは、そのつぶやきを決して聞いたことはなかった。その魂は、常に「イエスの像（すがた）にあやかることをよろこびとしていた」。激しい苦しみのために押さえることができず、思わず叫び声を発するとき、「スール・マリー・ベルナールは、それを熱心な祈りに変えていた。そして、力いっぱい、『神よ、この苦しみをあなたにささげます。神よ、わたしはあなたを愛します。そうです、神よ、わたしはそれを望みます。あなたの十字架を望みます……』と言っていた」。

このような痛ましい健康上の試練について、最もぴったりとしたことばで話しているのは、言うまでもなく、フォルカード司教である。司教は、その心の状態をよく知っていた。「スール・マリー・ベルナールは、修道院の中で果たしていた低い役目をはるかに上回る役目を、常にもっていました。それは、神から直接頂いたもので、真実のところ、修道生活におけるスール・マリー・ベルナールの唯一の役目でした。それは、わたしたちの罪の償いのために、つまり教会が勝利を得るために、自ら犠牲（いけにえ）の供えものになるという役目でした」。

ヌヴェールで生活した間に耐え忍ばなければならなかった「心の殉教」（メール・ボルドナーヴのことばによる）に比べるならば、たとえそれが耐えがたいものであったとしても、肉体的な苦しみは軽いものであった。主が許されたこの心の試練は、説明するためにはひじょうに微妙な問題であり、判断するためには、なおいっそう難しいことである。事実、この問題の二つの本質的な要素、すなわち、スール・マリー・ベルナールに対するメール・ヴォーズーの本心と、メール・ヴォーズーから屈辱的な取り扱いを受けたときに、スール・マリー・ベルナールが心の中で感じた自然の反応について、わたしたちは何も知らない。この問題に関する書類に一枚一枚忍耐強く目をとおしても、実際の状況については、表面的なことしかわからないという印象を受ける。つまり、問題の核心に触れることはできない。

ともあれ、一つのことは確かである。それは、まず、スール・マリー・ベルナールの修練長であり、「一八七八年一月まで、少なくとも本部修道院において、いわば総長職」を果たしたメール・テレーズ・ヴォーズーが、スール・マリー・ベルナールに対して厳格な態度をとり、厳しい判断と態度をもって接したことである。ベルナデッタがヌヴェールに来るという知らせを受けたとき、メール・ヴォーズーは、最初それをよろこばなかったわけではない。志願期および修練期の最初の三か月間、ベルナデッタは修練長とまったく自由に接していたようにさえ思われる。修練者スール・マリー・ベルナールが、メール・ヴォーズーの親切な態度が厳しさに――ときには屈辱的な取り扱い方にさえ――変わったことを感じたのは、一八六六年の秋に病室にいた間、特に、病室から共同体の生活に戻ったときのことである。なぜだろうか。その理由をはっきりつかむことはできない。修道院の記録の中に、一八六九年十一月十四日付で記されていることからみれば、それは、ベルナデッタが「謙遜で、隠れた者」としてとどまるようにと心を用いていた、総長メール・ジョゼフィンヌ・アンベールの命令によるものなのだろうか。あるいは、綴りさえ知らない「小さな田舎娘」、「羊飼いの女の子」を前にした、教養のある、ブルジョワ的な教育を受けた女性の反応であったのだろうか。あるいはまた、特別な広さをもつ「心の動き」もなく、感動的な心の打ち明けもせず、真心からイエスを愛したいという望み以外には、ほとんど何も言うことを知らない、まったく単純で、まったく「平凡な」魂を前にした、ある性格の持ち主——かなり横暴であったように思われる——のいらだちだったのだろうか。個人的にもっているひじょうにすぐれた徳にもかかわらず、あるいは、おそらくそのすぐれた徳のために、かえって、メール・ヴォーズーの性格には、超自然的な柔軟性がある程度まで欠けていたのではないだろうか。また、ある魂における聖霊の働きに忍耐強く従っていくことができず、自分が考えた霊的な「タイプ」に正確に当てはまらない人びとの心を、理解することができないような何ものかがあったのではないだろうか。

確かに、このような説明は、いずれも、それなりの真実性をもっている。しかし、おそらくさらに、これらすべての説明を越えた、説明し得ない何ものかがあることを認めなければならない。聖女の死後長い間たってから、メール・ヴォーズーは次のように打ち明ける。「ベルナデッタに何か言わなければならなかったとき、わたしは、その都度、どうしてもとげとげしい口調で話してしまいました」。

スール・マリー・ベルナールは、事態を他の角度からみている。いく人かの修友が、自分に対するメール・ヴォーズーの厳しさに驚いているとき、穏やかに次のように答える。「修練長様がそうおっしゃるのは、当然のことなのです。わたしはとても傲慢ですから」。あるいはまた、「でも、修練長様は、わたしの魂のためによいことをしてくださるのですから、とても感謝しています」。

実際、この「よいこと」は、大したものであった。その長さからみても——十二年間の修道生活のうち十一年間——、そのつらさからみても——その試練は、スール・マリー・ベルナールにとって重かった。あらゆる瞬間に、辱めに脅かされていた。しかも、それは、自分が当然やさしさ、保護、支え……を期待することができた人の手からくるものであった。

他方、スール・マリー・ベルナールは、その気性と疲れのために、自分の感受性を傷つけるあらゆるものに対してひじょうに敏感に反応した。メール・ヴォーズーは、スール・マリー・ベルナールのことを、「過度に感じやすい」と言っていた。

いずれにしても、試練の中でスール・マリー・ベルナールが味わった痛みは、ひじょうに大きかった。修友たちのことばによれば、「真っ青になり」、「泣く」ほどに激しい苦しみであった。しかし、決して「つぶやく」ことはなかった。「イエスに対する愛をもって、わたしは心のうちに隠された十字架を担っていきます」。

しかし、聴罪司祭には心の秘密を打ち明けていたに違いない。実際、「ドゥース師の勧め」の中には、「修友および長上たちから」受ける苦しみについて言及されており、しかも、その魂の中心を占めている重大な試練として述べられている。したがって、スール・マリー・ベルナールが「心の痛み」や「苦しみ」について話す場合には、それらのことばの中に、かなりしばしばメール・ヴォーズーや修道院の何人かのシスターたちから受けた辱めや冷遇、厳しい取り扱いを読みとるべきだろう。

ある日、一人の修友に喘息について話し、次のように心を打ち明けている。「息ができないことは、とてもつらいことです。しかし、心の痛みによって拷問の苦しみを受けるのは、もっとつらいことです。それはほんとうに恐ろしいことです！」

いずれにしても、次のようなスール・マリー・ベルナールのすばらしい――真に英雄的な――記述を、ここに引用することができるのは、メール・ヴォーズーのいわば反面教育のおかげともいえよう。

「従うこと、それは愛することです。イエスのみ心をよろこばせるために、従うこと、それは愛することです。
イエスのみ心をよろこばせるために、神ならざるものからの苦しみを、すべて耐え忍ぶこと、それは愛することです。
従うこと、それは愛することです。イエスのみ心をよろこばせるために、沈黙のうちにすべてを耐え忍ぶこと、それは愛することです。」

このようにして、イエスは、スール・マリー・ベルナールの魂に、愛を生き抜くための、なんとすばらしい機会を差し出されたことだろう[14]！

「愛は火の矢　神の炎」（雅歌8・6）

一つの魂の歴史というものは、その霊的な歩みの過程を見定め、神とのかかわりにおいて最も重要な変化が起こった時期を明確にし、特に、その魂の成長曲線を再構成することができない限り、よく書かれているようにはみえないものである。つまり、過去を振り返って、その聖化の過程をたどり、魂が一つずつ段階を越えていくのを見たいと思う。スール・マリー・ベルナールについても、当然同様の試みがなされた。そして、それらの研究のあるものからは、確かに興味深い実りが得られた。にもかかわらず、このように再構成されたものを前にして、何となく「つくり話」という感じを避けることはできない。

ベルナデッタの霊的生活には、その人生の種々の出来事によって呼びさまされ、あるいは与えられた成長以外の「成長」はなかったように思われる。修道生活の最初にも、またその最後にも、隠れた生活についての同じ理解、孤独、沈黙、貧しさに対する同じ渇き、イエスとマリアに対する同じ愛が見いだされる。最初は、むしろひそかな、まだ形に表されない内なる望みである。しかし、生涯の終わりには、霊的な用語に慣れたために、その望みは、よりよく表現され、特に病気、苦しみ、力尽き果てた極度の疲労など、目に見える状況の中で起こったものであるだけに、よりいっそう確かめることのできる望みとなっている。

しかし、いずれにしても、そこには、イエスとマリアに対する同じ「情熱」、「あわれな罪人」の救いに対する同じ心遣い、苦しみと償いのために自分をささげ尽くす同じ奉献、天国に向かう同じ心の躍動、魂の変わらぬ神的な単純さがある。修練者としてスール・マリー・ベルナールの指が絶え間なくつまぐるロザリオも、臨終の床にあってその指がつまぐるロザリオも、それが同じロザリオであるように――。もし、そこに何か変化があるとすれば、それは、ただ、その心の思いが日々よりいっそう深められていき、その愛が日々よりいっそう強いものになっていくということだけである。

何らかの形で神秘的な生き方を象徴する比喩の中で、スール・マリー・ベルナールに最もふさわしいものは、疑いもなく、「火」のイメージであろう。スール・マリー・ベルナールは、文字どおり、炎に包まれ、なめ尽くされていく一片の木のようである。燃えついて「火」となった木は、焼き尽くされていくに従って、ますます火になっていく。そして最後には、もはや炎そのものと木を区別することができなくなるところまでいく。そのとき、木は、「火」そのものとなる。スール・マリー・ベルナールのイエスに対する愛は、そのような愛であった。

したがって、その魂の歴史を再構成することができるとすれば、その霊的成長は、少なくともその本質的な部分に関しては、「内的な光」、「回心」、あるいは「超自然的なものの介入」の次元にではなく、十字架に釘づけられたイエスの愛、その像(すがた)にあやかること、主との一致の次元に位置づけられなければならない。スール・マリー・ベルナールにいのちを与え、その中で働かれる聖霊のたまもの、それは、「剛毅」のたまもの、すなわち「火と愛」である。

到達した終局点から逆に過去を振り返ってみるときに、歩んできた道がよりよくわかるということは、霊性の世界においても真実である。とすれば、ラビュッシェ師——スール・マリー・ベルナールの最後の黙想指導をしたイエズス会司祭——のことばは、その霊的成長に関するわたしたちの解釈を確認するものであるといえよう。ラビュッシェ師もまた、スール・マリー・ベルナールの「単純さ」について話しているが、次のようにつけ加えている。「わたしは、その魂の純白さをみました。その魂は、病気と苦しみの道をとおして導かれています」。それは、霊性の成長過程において、スール・マリー・ベルナールが、このことばの本来の意味において、危機を体験しなかったということ、つまり、その魂が修道生活の最初の日から、驚くべききよさと、恵みに対する忠実さのうちに生きたこと――、しかし、イエスに対するそのゆるぎない愛の表現は、天のおん父のみ摂理が体験させられた種々の苦しみ――肉体的あるいは精神的――の状態に応じて、絶え間なく変化したことを意味する。この場合にもまた、その愛は、それ自身同じものとしてとどまりながら、風の吹くままに勢いを増したり、下火になったり、炎を上げて燃えあがったり、消えそうになったりする火に似ている。

このように理解するとき、この道がこのうえもなくマリア的な性格をもつものであることを認めずにはいられない。無原罪のおん宿りのときから、おとめマリアは、あますところなく神のものである。「恵みあふれる聖マリア」……人間の中におけるマリアの「使命」は、この神との親しさを深めることだけである。「主はあなたとともにおられます。主はあなたを選び、祝福し」……ベツレヘムの飼い葉桶の傍らで、ナザレでの単調な生活の中で、エルサレムへの巡礼のとき、ヨセフの死に際して、イエスが公生活に出かけられるとき、苦しみが迫ってくる。だが、それは、聖母にとって、そのたびにおん父のみ旨を礼拝し、イエスを愛する機会となる。マリアの魂が世の贖い主であるキリストとまったく一つになる聖金曜日、すなわちご受難と十字架の日にいたるまで、「あわれな罪人であるわたしたちのために祈ってください」……ここにあるものもまた、「平凡な」道である。

おとめマリアの行動は、女性として、母としての単純で、自然な振舞いである。しかし、マリアご自身の中には、どれほどの愛が秘められていることか！　なんという忠実さ、愛を生きるなんというゆるぎない姿！　自分に与えられた最初の恵みの中にとどまり、「危機」を体験することなく、絶え間なく成長していく、なんとすばらしい生き方！

スール・マリー・ベルナールの霊的生活に関するこのような解釈が正しいとすれば、書き残されたノートや霊的手記、手紙のある文章は、生き生きとした光をもって輝いてくる。そこに見いだされるすべては、唯一の、絶え間ない愛の呼びかけにほかならない。それは、ときには、イエス以外の一切のものから離脱することによって、確かなものとなっていくゆるぎない愛である。

「最も愛するかたのために、あらゆる苦しみを耐え忍び、万事においてみ旨を果たす覚悟をもっていない者は、『友』という美しい名で呼ばれるにふさわしい者ではありません。なぜなら、この世では、苦しみなしに愛を生きることはできないからです。」（一八七三年）

それはまた、あるときにはためらいがちな愛、自分をきよめ、絶対的な誠実さに到達することができるかどうかと、自問し、心配する愛である。

「なぜ、苦しまなければならないのでしょう。それは、この世では、純粋な愛は苦しみなしに生きることはできないからです。おお、イエスよ、イエスよ、あなたの十字架のことを思うと、もう自分の十字架など忘れてしまいます。」（一八七三年）

イエスに一致したいというこのような望みは、あらがいがたい力をもって、スール・マリー・ベルナールを十字架と、苦しみへと導く。

「救い主の十字架、礼拝すべき聖なる十字架、そこにのみ、わたしは力と、希望と、よろこびを見いだします。それはいのちの木、天と地を結ぶ神秘なはしご、そして、イエスとともに死に、自分自身を犠牲（いけにえ）としてささげる祭壇です。」

「死にいたるまで、わたしの浄配イエスに自分自身をまったくゆだね、愛と忠実をささげること。イエスのみ心とそのすべての宝は、わたしの分け前です。わたしはみ心のうちに生き、苦しみのさなかにあっても、静かにみ心のうちに死ぬことができます。」（一八七三年）

確かに、このような願いの最も純粋な表現として、次のようなことばがある。

「おお、イエスよ、あなたを愛することができるようにしてください。わたしを愛し、お望みのままに、存分に十字架に釘づけてください。」（一八七三年）

スール・マリー・ベルナールが十字架から学びとりたいと思っていること、それは、聖パウロのことばに従って、イエスのおん苦しみ、主の肉体的なおん苦しみにあずかり、自分自身の苦しみをもって、その欠けたところを「補う」ことである。だが、それはとりわけ、主の精神的なおん苦しみ、その孤独、すべてのものからまったく「見捨てられた苦悩」にあずかることである。

神は、主が死に直面された最後のとき、そしてご死去の最も痛ましいおん苦しみにおいて、イエスと一致するという、この貴重で最も大切な恵みを、スール・マリー・ベルナールに与えられたように思われる。その手記の中には、「父よ、どうしてわたしをお見捨てになったのですか」という、十字架上のキリストのうめきに似た何ものかが、何度か見いだされる。そして、ときにこのような高い神秘的一致の状態の中に見られるように、スール・マリー・ベルナールは、自分がこのすべてのものから見捨てられた孤独の神秘の中に導き入れられていくのを感じるとともに、自分の愛の足りなさと貧しさを痛感する。というのも、かなり早くから、このような霊的な恵みを与えられていたようである。

この点について、わたしたちにその心の秘密を打ち明けてくれる記述は一八七三年の霊的手記の中に見いだされる。しかし、それが新たな恵みであるということを根拠づけるようなものは何もない。それとはまったく逆に、いくつかのしるしからすると、スール・マリー・ベルナールがすでにずっと以前から体験していたことで、その後も継続し、いわばそこに自分の「住まいを定めた」と考えている状態について話しているように思われる。

「おお、イエスよ、あなたは捨てられた人、それゆえに、また捨てられた者のよりどころとなってくださいます。わたしが孤独を耐え忍ぶために、必要なすべての力を汲み取ることができるのは、あなたがおん父からも人びとからも見捨てられた、あの孤独の状態からであることを、あなたの愛は教えてくださいました。わたしが陥るかもしれないもっとも恐ろしい孤独、それは、確かにあなたの孤独にまったくかかわりない者となることです。

しかし、あなたは、ご死去によっていのちを与え、おん苦しみによって、当然受けるべき苦しみからわたしを解放し、おん父から見捨てられたことによって、わたしが決しておん父から見捨てられることがないようにしてくださいました。また、おん父が最も身近にいてくださるようにしてくださいました。」

ご出現のときから、ベルナデッタは手紙や聖画に署名するときに、自分の名前の前に、二つ〝P〟という字を書くことを習慣としていた。それは、「ベルナデッタのためにお祈りください」"Priez pour Bernadette"という意味であった。スール・マリー・ベルナールになっても、家族や友人に手紙を書く場合には、同様に、ほとんどいつでも、自分のために祈りを依頼する。一八七三年以前には、このような祈りの依頼は、よりいっそう懇願するような、へりくだった形でなされているように思われる。たとえば、「あわれなわたしのために、たくさんお祈りしてください」とか、「わたしには、あなたのお祈りが必要なのです」といったように。これは、すべてのものから見捨てられたという内的な苦悩が、大きくなっていったことのしるしだろうか。おそらく、そうだろう。事実、スール・マリー・ベルナールの「心の痛み」、「心の殉教」は、その訴えを説明するのに十分だろう。

しかし、そのころの苦しみは、とりわけ、「愛」そのものである神を十分愛していないということであったように思われる。

「わたしはいつも、十分な健康をもつことができるでしょう。しかし、主に対する愛は、決して十分ということはできません。」（一八七二年五月二十一日）

他方、「罪人」は、この霊的苦悩に決してまったく無関係ではない。スール・マリー・ベルナールは、その人びとのことを考え、その思いは絶え間なくそこに戻ってくる。ある日、メール・ロックに、その心の思いをよく表している次のようなことばを書いた。「ともかく、その人びとはわたしたちの兄弟なのです」（一八七二年四月三日）。実際、スール・マリー・ベルナールは、ひじょうにきよく、ひじょうに忠実であったため、徐々に、いわば、罪人およびこの世の罪と一つになっていったと言うことができよう。

「おお、イエス、マリアよ、この世におけるわたしの慰めのすべては、あなたを愛し、罪人の回心のために苦しむことでありますように。」（一八七三年）

だが、その魂は、望みによって、この地上における一致をさらに越えていく。それは、十字架、カルワリオを熱望する。しかし、その愛が目ざすもの、それは、天国、すなわち、最後にいたり着く至福の一致、「顔と顔とを合わせて神をみる」ことである。

「天国のためなら、どんなことでもしましょう。天国こそ、わたしの故郷(ふるさと)。わたしはそこで、栄光に輝くおん母にお会いすることができます。そして、聖母とともに、もうなんの心配もなく、イエスご自身の至福にあずかるよろこびに満たされるのです。」(一八七三年)

聖母がそこでどのような役割を果たしておられるかを、はっきりととらえなければ、イエスに対するこの愛の生きた律動、あらがいがたいまでに、十字架上における変容の一致、天国における至福の一致へとその魂を導いていくこの動きを、正確に把握することはできないだろう。

すでに指摘したように、その個人的な手記の中で、スール・マリー・ベルナールの祈りは、しばしば「イエスとマリア」、しかも同じ一つの信心の中で一体となっているこの二人に向けられている。
聖母にだけ向けられている場合にも、これらの祈りは、イエスに対する「祈り」のテーマを、まったく子どものような、安らいだ、信頼に満ちた形で、再び取り上げているに過ぎない。そのとき、その貧しいことばは、なんというやさしい愛情、どれほど深い委託の心に満ちあふれていることだろう！

「原罪の汚れなきマリア！　おお、光栄あるヨセフ！　神のみ心イエスにこよなく愛された弟子ヨハネよ、愛の偉大な神秘を教え、悟らせてください！　その愛に強く引きつけられ……そして、飛躍することができますように。マリア、ヨセフ、ヨハネとともに、イエス、しかも十字架に釘づけられた至聖なるイエスのみ心にはせ寄り、そのうちに自分をなくし、一致し、うずもれてしまうことができるよう、飛び立たせてください。み心こそ、愛ときよらかさ、そして自分自身を無にして、まったき従順に生きる聖なる泉です。」

「おお、み母よ、わたしを助けに来てください。自我に死ぬ恵みをお与えください。ただひたすら、柔和なイエスによって生かされ、イエスのためにのみ生きることができますように。」（一八七三年）

スール・マリー・ベルナールが、子どもとして、最も深い信頼をこめて――幼な子が母親に向かうように――聖母のほうに心を向けるのは、もちろん、苦悩と力尽き果てたときである。

「おお、イエスのいと聖（とうと）きおん母よ、愛するおん子がまったく支えをなくされた苦しみをともに味わい、体験されたみ母よ、わたし自身そのような苦しみに陥るとき、わたしを助け、力づけてください。」

「おお、マリア、おお、おん悲しみのみ母よ！　あなたは十字架のもとで『わたしたちの母』という名をお受けになりました。わたしは、あなたのおん悲し

みの子ども、カルワリオの子どもです。」（一八七三年）

ドゥース師は、一八七三年の黙想会の間に次のように勧めた。「マリアにならって、あなたも、心の中に秘められた十字架を担わなければなりません。……マリアのみ心の中に入り、そこにとどまりなさい。マリアのみ心を、この世におけるあなたの住まいとしなさい」。スール・マリー・ベルナールは、注意深くこの勧めを書きとめ、いつものように祈りをもってこれにこたえている。

「おお、み母よ、わたしはあなたのみ心のうちに、心の苦悩を打ち明け、力と勇気を汲み取りにまいります。」（一八七三年）

信仰をもってその内的な苦しみを耐え忍ぶことができるように、ドゥース師は、一八七四年の黙想会のときに、「マリアにならって、まったく隠れてとどまる」ようにと勧めている。一八七五年の黙想会では、さらにそれを強調し、イエスが、スール・マリー・ベルナールを、より親しくご受難に一致させたいと望んでおられることを予感している。「今からあなたは、十字架のもとにおられるマリアとともに、今までよりもなおいっそう隠れた者としてとどまりなさい」。師は、絶えずそれらの苦しみが贖いの意味をもっていること、すなわち、「償い！　償い！」、「罪人のために祈りなさい！」というマッサビエルの聖母の呼びかけに、だれよりも先にこたえなければならないことを思い起こさせる。スール・マリー・ベルナールは、これらの勧めを理解し、受け入れ、心からよろこんでその道に入っていく。

しかし、「み母」により頼み、これらすべての試練を越えて、天国に眼差しを向ける――いかにも人間的な！――必要性を感じている。

「おお、マリア、やさしいみ母よ、みもとにいるあなたの子どもは力尽き、もう何もすることができません。わたしが何を必要としているのか、特にわたしの霊的苦悩がどれほど大きいかをご覧ください。わたしをあわれみ、いつの日か天国であなたとともにいることができるようにしてください。」（一八七三年）

この分析をするにあたって、わたしたちは、ヌヴェールの本部修道院に保管されているベルナデッタに関する「資料」の中で、確かに最も貴重な文献である『魂の日記』をしばしば引用した。貴重な文献――というのは、この『魂の日記』の中には、スール・マリー・ベルナールの最も美しい心の披瀝が、最も数多く含まれているからである。まず、一八七三年に書かれた雑記、次に、一八七三年の黙想会（イエズス会士セカイユ師指導）、最後に一八七四年の黙想会（再びセカイユ師指導）のときのものである。「すべてのものから見捨てられた孤独」の試練を、ただ、聖女の生涯の最後の数年間だけに位置づける若干の伝記作家は、一八七四年の黙想会のときに、スール・マリー・ベルナールが「浄化」の道に決定的な一歩を踏み出したと考える。

このささやかな手帳が貴重であるというもう一つの理由は、次のことによる。そこには、他の記述におけるよりも、種々の記録の中で、真にスール・マリー・ベルナール自身によるもの、つまり、ただその心からあふれ出たものと、他のものから書き写されたもの、あるいは記憶に残っているものを、かなりたやすく見分けることができるからである。すなわち、ある考え、ある祈りは、明らかにある書物からの引用、説教や黙想書の一部分を書きとめたもの、あるいは記憶に刻まれている賛美歌の一部分というだけのものである。しかし、これらの記述が引用されたもので あるということから、他の部分ほどその心を表していないと言うことはできない。 というのは、それらは一つの選択を示すものであり、その選びは魂の傾きを示して いるからである。それにしても、それらの記述が、伝記作家にとって、魂の底から 自然にあふれ出てきた考えや祈りと同じだけの関心を呼ぶものでないことは、明ら かである。[15]

さて、他から引用されたものと、本人自身が書いたものを識別してみると、スー ル・マリー・ベルナールの中に、「書き方における進歩」や、年齢的な成熟や宗教 的な環境による知的な成長がみられるにもかかわらず、そこには、マッサビエルで 聖母のご出現をみたあの少女のころの魂にひじょうに近いものがあることが、明ら かになってくる。そこには、同じ生き生きとした愛の新鮮さ、純真さ、心の眼差し の透明さ、同じように、現実に根ざした信仰、あますところなく自分をささげ尽く す生き方、よろこんで苦しみと償いを受諾する心、罪人に対する同じ心遣い、天国 を憧れる同じ熱望がある。一言で言うならば、そこには、同じように、単純で、自分自身を意識せず、まったく利己的な考えをもたない、純粋な愛に開かれた、同じ魂がある。その手記は、「考え」というよりも、むしろ「祈り」、呼びかけ、絶え間なく繰り返される魂の告白、イエスとマリアに心を奪われた魂の愛の叫びとも言い得るものである。

『魂の日記』の最初の部分は、いわば、一種の雅歌であるといえよう。そこで、イエスは、ときには「愛するかた」、「友」、「浄配」と呼ばれている。しかし、はるかにしばしば、福音書におけるように、また聖母にとってと同じように、まったく単純に「イエス」と呼ばれている。そこには、「夜」も、「神秘的婚約」も、「霊的婚姻」もない。ただ、雅歌におけるように、愛に駆り立てられて、愛するかたを探し求め、そのかた以外には何も見ず、何も望まない魂だけがある。

なお、そのうえに、スール・マリー・ベルナールは、単純な、庶民的なことば、貧しい者の語彙しか用いることはできない。しかし、それは、詩的な表現よりももっと深い感動を与えることば、つまり、ただ愛の激しさだけが、読む人の心のうちに深いひびきを呼びさますようなことばである。

「イエスに物乞いする貧しい者の祈り」は、まさにそのようなものである。

「おお、イエスよ、どうかお与えください。
　謙遜の糧、
　従順の糧、
　愛の糧、
　我意をうち砕き、あなたのみ旨に　わたしの意志を
　まったく一致させるために必要な力の糧を。
　自我に死ぬための糧、
　神ならぬものよりの離脱の糧、
　心の苦しみを耐え忍ぶために必要な忍耐の糧を。
　おお、イエスよ、
　あなたは、
　わたしが十字架に釘づけられることをお望みになります。
　み旨のままに。

主よ、お与えください。
よく苦しむことができるように、力の糧を。
万事において、
常に、あなたをみることができる糧を。
イエス、マリア、十字架、
それ以外の友を、わたしは望みません。」

このように祈る「物乞いする貧しい者」、それはまさしく、ひとかけらのパンがどれほど価値あるものであるかを知っている、粉ひき屋スビルーの小さな娘である。それは、無原罪の聖母のみ心の秘密を打ち明けられた者、天のおん父に、「日ごとの糧」をふさわしく願うことを、み母から教えられた少女である。それは、聖体祭儀に飢え渇き、聖体によって生きる魂……ベルナデッタである！

極みのとき

「そして　わたしは　あなたに愛をささげよう」(雅歌7・13)

わたしたちは、スール・マリー・ベルナールの生涯の最後の段階、この美しい愛の物語の最後の章にきた。

この物語のはじめは、「ロザリオの祈りしか知らなかった」ひじょうに単純な一少女、ひもでつながれた黒い珠をつまぐりながら、聖母マリアへの祈りを唱えていた小さな少女のことであった。

ある日、マッサビエルの岩のくぼみに、光り輝く、「とても若く、美しい女のかた」のご出現があった。そのかたとの出会いの間に、少女は心をこめて十字架のしるしをすることを学んだ。また、「恵みあふれる聖マリア……罪深いわたしたちのために祈ってください」というような、いくつかのことばが意味することを体験した。さらに、その女のかたご自身も、潜心して、「栄唱」を唱えておられるのをみた。少女は、そのかたの名前、無知な自分にとってはひじょうに神秘的な、しかしひじょうに美しい、「無原罪のおん宿り」という名前を知った。そのときから、その名は少女にとって神の友である人びとの美しさと輝き、罪の痛みと重さを意味するものとなった。そしてついには、天国のことこそ現実であり、それと比べるならば、地上のものは何一つ価値がないことを確信した。しかも、決してゆらぐことのない確信をもって。ただし、ただ一つのこと、つまり「罪人のために償い」をし、天国を準備するためのよい方法である苦しみを除いては――。そのときから、これらすべての超自然的な現実――特にイエス、おとめマリアの「子イエス」――に対して、少女は、その胸が張り裂けるほどの限りない愛を体験した。

それから二十年が過ぎ去った。マッサビエルの少女は、今はスール・マリー・ベルナールとなった。いや、むしろ病人、しかも、今ではもはや回復する見込みがないと宣告されている大病人となった。一八七五年十月以後は、すっかり病床の人となる。そして、「祈ることと、苦しむこと」だけが、その唯一の「役目」となる。何度も喀血（かっけつ）し、喘息から解放されることもほとんどなく、数限りない病気が、そのあわれな肉体に襲いかかってくる。スール・マリー・ベルナールは、「絶え間なく続く苦しみの状態の中で」生きる。一八七七年の夏に、いくぶん小康を得たときがあったとはいえ、冬にはついに、一八六七年以来右膝（ひざ）にできていた腫瘍（しゅよう）が悪化して、化膿し、新たな痛みを加える。少し歩くことができるときにも、松葉杖の助けを必要とする。少し気分のよいときには、庭におりたり、休憩時間に参加したり、訪問客を受けることさえある。一八七七年十一月二十一日、聖マリアの奉献の祝日には、「年長者」であるということで、その日ともに誓願を更新するすべてのシスターを代表して、誓願文を読むことさえできる。その十か月後の九月二十二日、聖母の七つのおん悲しみの祝日には、まだ公の場に出て、永久誓願を立てる。そして、その式の後、一人のシスターに、「わたしは天国にいる思いでした」と話している。

いや、それは、まだ天国ではない。その前に、愛の最後の段階を越えなければならない。

そして、この最後の段階とは、すべてのものから見捨てられた孤独のうちにあるイエスの傍らに、マリアとともに立つカルワリオにほかならない。

一八七八年十二月八日にも、なお聖堂で、共同体とともに、無原罪の聖マリアの祝日を祝う。

しかし十一日には、決定的に病床に釘づけられる身となり、自ら「白い聖堂」というすばらしい名前で呼んでいた病床につく。

ラビュッシェ師は、永久誓願の準備のための黙想会の間に、スール・マリー・ベルナールと話した後、次のように書いていたが、師の観察は正しかった。「スール・マリー・ベルナールの中にあるもので、わたしが一番好きなこと、それは大いなる単純さである。わたしは、その魂の純白さをみた。その魂は、病気と苦しみの道をとおして導かれている」。自分を全然意識していないその魂の中心には、キリストに対するひたむきな愛、恵みについての限りない理解、罪人の救いのために、自分のすべてを犠牲(いけにえ)としてささげ尽くす心がある。これこそ、その最後の日々を特長づける生きざまである。

「白い聖堂」の中には、ごくわずかのものしかなかった。まず、ピオ九世教皇から贈られた十字架。スール・マリー・ベルナールは、その数年前に自分に大きな十字架を送ってくれたある長上に、「わたしは、キリストとともに病床にいるほうが、玉座にいる女王様よりもずっと幸せです」と書いたことがあった。次に、修道者になったときに与えられたロザリオ。スール・マリー・ベルナールは、それをほとんど手放さず、昼も夜もしばしば指でそれをつまぐる。それから、三枚の聖画。その一つは、聖体奉挙を表す絵である。しかし、やがて、この聖画も人にあげてしまう。それは、十字架とロザリオだけしか、自分の手元にとどめておかないためである。

「今、わたしには、キリストのほか何も必要ではありません。」

このようにすべてのものを捨てて無一物になった状態の中で、最後の日々の試練に直面する。

一八七九年三月二十八日、聖母の七つのおん悲しみの祝日に、最後の秘跡を受けるようにと勧められる。スール・マリー・ベルナールは、最初、生涯決して失うことがない生まれつきの快活で、はっきりとした性格の中にある子どものような茶目っ気と、陽気なかわいらしさをもって、しばらくの間、最後の秘跡を受けることを拒む。

「いいえ、いいえ、わたしはまだ、病者の塗油を受けたくありません。なぜ、なぜってですか。というのは、今までこの秘跡を受けるたびによくなり、ちょうどそのときから回復し始めたからです。これで四回目です。わたしは、ちょうどよいときに、つまり、また生きるためではなく、死ぬためにだけ、しっかりとこの秘跡を受けたいのです。」

しかし、それでも秘跡を受けるようにと勧められる。そして、スール・マリー・ベルナールは、最後まで従順に生き、自分の感情を克服して、それを切に勧める修道会の、母としての愛に満ちた権威者の考えに従う。「フェーヴル師が臨終の聖体をもってくる。スール・マリー・ベルナールは、長上や修友に、自分が犯したすべての過ちについてゆるしを願う。『そして、特にわたしの傲慢について！』と、強調する」。それから、「ひじょうに熱い心をもって」聖体を拝領し、病者の塗油を受ける。

臨終の苦しみは長く、それから二十日間続く。

「その間、本人自身が苦労して自分を形づくっていったというよりは、むしろ、神ご自身が、そのみ手をもって、スール・マリー・ベルナールを形づくられたのです」。その死後、聴罪司祭がこのように語るそのことばは、まったくそのとおりであり、深い意味をもっている。スール・マリー・ベルナールのうちにおいて、すべては、わたしたちの罪のために死んでくださるイエスの像(すがた)にあやかるものとなる。

み母マリアのおん眼差しと、そのまったき同意のもとに……。

その体は、苦しみ、激しい痛み、数々の傷の道具にほかならない。「わたしは、うすでひかれる一粒の麦のように、砕かれ、粉にされるのです」。死の前夜、スール・マリー・ベルナールはこううめく。粉ひき屋スビルーの娘の唇からもれたこのことばは、その苦しみを十分に語っている。実に、砕かれ、粉にされる一粒の麦から、ホスチアがつくられるのである！

スール・マリー・ベルナールは、「通常の念禱法に従って」黙想できないことを心配する。聴罪司祭は、次のように言って安心させる。「念禱中、十字架のもとにとどまりなさい。信頼をもって、神である救い主のおん傷の中にとび込んでいきなさい」。そのとき、その眼差しは落ち着きをとり戻し、じっとキリストを見つめる。

スール・マリー・ベルナールはまた、イエスと、罪人を十分に愛していないのではないかと心配する。極度の苦しみに襲われ、思わず叫びを発するとき、それを弱さと考えて、自分を責める。「わたしが体をよじ曲げても、気にしないでください。何でもないんです」。イエス・キリストに一致したいという望みは、その力であるとともに、苦しみでもある。スール・マリー・ベルナールは、ある修道女にこう打ち明ける。

「眠れないときに、わたしは主と一致することができて、幸せです。孤独と苦しみをよりいっそう強く感じるとき、このご絵（それは聖体顕示台の聖画でベッドのカーテンにとめられていた）を見つめると、自分を犠牲(いけにえ)としてほふりたいという望みと力を、そこから汲み取ることができます。」

天国への望みは、常にその支えとなる。人びとは、「この世界においてではなく、他の世界において幸せにする」という聖母のおん約束を思い起こさせる。スール・マリー・ベルナールは、「天国！　天国！」とささやく。そして、この思いが自分を支えてくれることを告白する。「天国で、再び母にお会いできることを思うと、ほんとうに幸せです！」

一八七九年四月十三日、日曜日、復活祭の鐘が鳴りひびいているとき、あるシスターが次のように言う。「ほら、お聞きなさい。ご受難の後にご復活がくるのです。すべてのものは、いのちを取り戻します。そして、あなたもよくなりますよ」。スール・マリー・ベルナールは答える。「わたしの受難は、ただ死によってだけ終わりを告げるのです。わたしにとって受難は、永遠の世界に入るときまで続くでしょう」。

復活の月曜日の夜から火曜日にかけて、スール・マリー・ベルナールはひじょうに苦しみ、休むことができない。そして叫ぶ。何度か「悪魔よ、立ち去れ！」と言っているのが聞こえる。翌朝、フェーヴル師に「悪魔が自分にとびかかって来ようとしましたが、イエスのみ名を呼ぶと、姿を消してしまいました」と説明する。

この復活の火曜日は、恐ろしい苦しみのうちに過ぎる。その夜、スール・マリー・ベルナールは、以前にもすでにその魂をひじょうに苦しめたことがある「大きな恐れ」の極み、すなわち、イエスの愛に十分「こたえなかった」という恐れを体験する。メール・ナタリー・ポルタは病室に入り、スール・マリー・ベルナールがひじょうに苦しみ、悩んでいるのを見いだす。あわれな病人は、メール・ナタリーに叫ぶ。

「こわいんです！　こわいんです！　わたしは、こんなにたくさんのお恵みを頂きました！　それなのに、そのお恵みを、こんなにわずかしか生かせませんでした。[16]」

総長補佐であるメール・ナタリーは、スール・マリー・ベルナールを安心させようと努める。「シスター、イエスのみ心のすべての功徳は、わたしたちのものです。あなたの罪を償うために、また神様がくださったすべてのたまものに対する感謝として、神様に主のおん功徳をささげなさい」。これを聞いて、スール・マリー・ベルナールは、落ち着きを取り戻し、静かになる。

そして、ついに、終わりを完うする日が訪れる。

「スール・マリー・ベルナールの苦しみは、その激しさを増していく」。ついに、ベッドから起こし、大きな肘掛けいすに横たえなければならないほどである。

この日、四月十六日、復活の水曜日、二つの重大なときがくっきりと浮き彫りにされる。ベルナデッタの霊的な召命のすべてが、そこにすばらしい縮図となって要約される。

午後一時。スール・マリー・ベルナールは、息苦しくなってくる。十字架に釘づけられた者のように、そのあわれな両腕を広げた。

「わたしのイエス……おお！　わたしは、どれほど深く主を愛していることでしょう！」

メール・エレオノールが、「慰めを与えてくださるように、わたしたちのみ母、無原罪の聖母に祈りましょうね」と言うと、スール・マリー・ベルナールは、答えて言った。

「いいえ、慰めではなく、力と、忍耐を……。これらはすべて、天国を得るために役立つのです。わたしはあのかたをみました！」

そして、聖母像をじっと見つめながら、続けて言った。

「わたしは、あのかたをみました！　おお！　あのかたは、なんと美しいことでしょう！　わたしは、あのかたにお会いすることを、どれほど待ちこがれていることでしょう！」

かつて、マッサビエルの聖母の美しさを言い表したいと思ったとき、ベルナデッタは、やはり両腕を広げて、「わたしは無原罪の宿りです」という心から愛するみ名を繰り返した。そして、そのとき、この世のものとは思えない美しさが、その顔に現れた。それは、一八五八年三月二十五日のご出現の反映であった。今日、スール・マリー・ベルナールの中に見いだされるもの、それは、十字架に釘づけられたイエスの死の苦しみ、そして、すべてのものから見捨てられた主の孤独である。

午後三時。メール・ナタリー・ポルタは、心の中で、もう一度病室に上っていくよう駆り立てられているように感じる。スール・マリー・ベルナールは、相変わらず大きな肘掛けいすに身を横たえている。その手はもはや握る力がなくなってしまったので、胸の上に十字架が結びつけられた。スール・マリー・ベルナールは、「ことばで言い表すことができないほど激しい心の苦しみにさいなまれて」いる。ゆっくりと、キリストのおん傷の一つ一つに接吻して、「わたしの神よ、心を尽くし、魂を尽くし、力を尽くして、あなたを愛します……」と繰り返す。そして、メール・ナタリーに懇願する。

「わたしをゆるしてください……。わたしのために祈ってください。わたしのために祈ってください！　最後まで神に感謝をささげることができるように、助けてください。」

十字架上のイエスのように、スール・マリー・ベルナールはおん父に向かって、「わたしの神！　わたしの神！」と、委託の叫びをあげる。

そのとき、総長補佐メール・ナタリーは、ゆっくり、「恵みあふれる聖マリア……」と唱える。「聖マリア」のところまでくると、スール・マリー・ベルナールも声を合わせて唱える。そこで、メール・ナタリーは、一人でその後を続けさせる。臨終を迎えたスール・マリー・ベルナールは、「神の母」と唱える。そして、もう一度、「神の母聖マリア……」と繰り返し、「罪深いわたしのために……祈ってください……罪深いわたしのために！……」と続ける。まるで、兄弟なる罪人とまったく一つになっているかのように。「今も」──スール・マリー・ベルナールにとって、この「今」は、まさに「死を迎える時」にほかならない。

十字架上のイエスのように、腕を広げ、「わたしは渇く」と言う。一人のシスターが飲み物を差し出す。スール・マリー・ベルナールは、最後にもう一度、聖母が教えてくださった美しい十字架のしるし、あのマッサビエルの十字架のしるし、ロザリオの十字架のしるしをする。強壮剤の入った飲み物の小さな瓶を取り、二度に分けてその数滴を飲む。そして、頭をうなだれ、この地上であれほど深く愛した神に、静かにその霊をゆだねる。こうして、すべては成し遂げられた！

一人のシスターが、その手に十字架を持たせ、組み合わせた手にロザリオをかける。かつて、スール・マリー・ベルナールはこう書いた。

「イエス、マリア、十字架、それ以外の友を、わたしは望みません！」

愛は、あふれるばかりに満たされた。

栄光は、父と子と聖霊に！

聖ベルナデッタ　わたしたちに祈ることを教えてください

このように願う人に、ベルナデッタは、きっとロザリオを示しながら、次のように答えるだろう。

「あなたも、ただ、ロザリオを手にして、十字架のしるしから最後の栄唱まで、心をこめてこの祈りを唱えなさい。ロザリオの祈りが意味しているすべてのことをよく理解し、口で唱えることをすべて生きるように努めなさい。それが、わたしの歩んだ道……というよりもおん母、無原罪のおん宿りの聖母が歩まれた道です。」

確かに、「主の祈り」、「聖母マリアへの祈り」、「栄唱」以上に美しい祈りは、ほかに何もない。わたしたちは、主ご自身、大天使ガブリエル、あるいはご降誕のときの天使たちよりもよく、これらの祈りを唱えることはできない。わたしたちの洗礼、そして、わたしたちが三位一体の神のものであることを示すしるし、また、イエス・キリストがわたしたちに対して抱いておられた、信じられないほどの愛のしるしでもある。十字架のしるし以上に美しいしるしは、ほかに何もない。

潜心して、一つ一つのことばの意味を黙想しながら、また、注意深く心でそれを「味わいながら」唱えるならば、それらの祈りは聖なる思いでわたしたちの魂を満たし、礼拝、賛美、謙遜、嘆願、委託、感謝等、キリスト者の生き方の土台となる心構えに、わたしたちの魂を導く。これらの祈りはさらに、神の栄光と、世の救いに対する心遣いに魂を開かせ、根本的な悪、すなわち罪を避け、償うようにと願う。

このように、これらの祈りは、最もすぐれた「神の子」の祈りである。それは、父なる神と対話をすることができるように、わたしたちにふさわしいことばや表現を与えてくれる。聖ヨハネは、「おん父がどれほどわたしたちを愛しておられるかを考えよ。わたしたちは神の子と呼ばれている。そのとおりである。……わたしたちはほんとうに神の子である」と言っている。これらの祈りは、わたしたちのうちにおける聖霊の祈りである。聖パウロは次のように言っている。
「聖霊もわたしたちの弱さを助けてくださいます。わたしたちはどのように祈るべきかを知りませんが、聖霊ご自身が、ことばに表せないうめきをとおして、わたしたちのために執(と)りなしてくださるのです。人の心を読み取るかたは、聖霊の思いがなんであるかをご存じです。聖霊が、神のみ旨に従って、聖なる人びとのために執りなすからです」。

主の祈りと聖母マリアへの祈り、すなわちロザリオをもって祈るとき、わたしたちは「ふさわしく祈り」、またわたしたちの祈りが「神のみ旨に従っている」と確信することができる。

同様に日々の生活の中で、主の祈りや聖母マリアへの祈りのことばが意味するところに従って生きるならば、わたしたちは、洗礼に基づく生きざまに従って生きていると確信することができる。というのは、そのとき、わたしたちは「光の子」として生きているからである。その光は、まだ天国のまったき光、三位一体の神を「顔と顔とを合わせて」みることができる光ではない。「どうなるかは、まだ明らかになっていない」ために、まだ「なぞの覆いに包まれた」光である。しかし、それは、すでに信仰のうちに、この世におけるわたしたちの生活全体を「変容する」光である。そして、その中で、わたしたちのすべての行い、特に苦しみは、「永遠の重みある栄光」をもつものとなる。聖パウロは、恵みの状態から栄光の状態に移り変わるのは、「一瞬のうちに」なされると言っている。

すばらしい道――「平凡な」しかし神のいのちを生きる道――それは、洗礼を受けたすべての人が歩む道である。「神は光の中におられる。それで、わたしたちが光の中を歩むならば、互いに交わりをもつことになり、神の子イエスの血によって、わたしたちはあらゆる罪から清められる」と、聖ヨハネは言っている。ベルナデッタにとって、またベルナデッタとともにロザリオの祈りを唱える人びとにとって、この聖ヨハネの驚くべき教えは、「恵みあふれる聖マリア……罪深いわたしたちのために……祈ってください」という、ひじょうにつつましい二つのことばに要約される。

それがどれほど美しいものであれ、この霊的な道は、洗礼を受け、主イエス・キリストを信じるすべての人に通じるものである。聖霊におけるこの祈りのすばらしさ、この恵みの世界に入ることは、特別な恵みを受けた人びとに保留されているものではない。使徒や聖人たちは、その中でまったく自由に生きている。しかし、それは、福音書に出てくる「小さな人びと」、「無学な人びと」、日々の「重荷を負って苦労している」目立たない人びと、貧しい人びと、病気の人びと、生活に必要なものを奪われている人びと、つまり、ある日イエスが「幸いな人[17]」のよろこびを教えられた小さな群れ、そしてまた、徴税人、罪人たち、「石を投げられることなく、その罪をゆるされた」罪の女も、同様に自由に生きることができる世界である。

それは、まさに、幼子のような素直さをもってイエスを信じ、きよく、単純な心をもって主に希望をおき、主を愛する「小さな人びと」の道である。「天地の主である父、わたしはあなたをほめたたえます。あなたはこれらのことを知恵のある人や賢い人には隠し、小さい者に現してくださいました」。

キリスト教のすぐれた富のすべては、だれにでも――たとえ人間的な能力に恵まれない人であっても――謙遜に、心から信仰の秘義を受け入れ、日々まっすぐな心で、天におられるおん父のみ旨を探し求めるすべての人に、差し出されている。

ときには、ある魂にとって、この神のみ旨の探求は、聖霊の最もささやかな呼びかけにも繊細な心をもって従う素直さとなり、このような謙遜は、神のみ心を悲しませることを、一切心に入らせないように配慮する心のきよさへと成長していく。そのとき、このような魂は、神との親しい交わりに入る。その交わりの形は、それぞれの魂に応じてさまざまである。

しかし、それは、常によりいっそう厳しい要求をもつ愛に導かれる。神は愛である！　そして人は、ただ愛によってのみ、愛そのものである神に近づくのである。あるときには、このように魂をよりいっそう神に近づかせるのは、自分の努力によるように思われる。また、あるときには、魂が神に向かうというよりも、よりいっそう、神が魂を引き寄せられる。しかし、この互いに求め合う中で、神の側、あるいは人間の側からのものが何であるにせよ、両者の出会いは、魂にとって、その最も奥深いところにおけるきよめをとおしてのみ、実現される。そして、このきよめは、常によりいっそう、魂を「単純なものとする」のである。

考え、記憶、表象の次元において、ますます単純になっていくこと――そのとき魂は、容易に福音のある場面、あるいは信仰の真理に集中し、その観想に心を奪われるがままになり、ときには、ますます深く、その秘義の意味や価値、あるいはその美しさを見いだすようになる。また、ときには、このように認識が深められるのではなく、むしろよりいっそう力強く、その神秘に愛着して生きるようになる。

あるいはまた、愛の次元において、ますます単純になっていくこと――魂は徐々に、愛する能力のすべてを、愛するものに集中させていく。そして、常にいっそう心をこめて愛したいということ、常により深く愛したいということが魂の苦しみとなる。というのも、神ご自身からの要求がない限り、人は、ますます細やかな配慮に満ちた心のきよさ、神ならざる一切のものからの離脱、常によりいっそう大いなる誠実さをもって、「わたしの神よ、心を尽くし、すべてを越えて、あなたを愛します……」と言うことができるような、「赤裸」な心を、自分自身に要求するからである。

現在、わたしたちは、口禱や、ロザリオの祈りを倦むことなく繰り返し唱えることを、あまりしなくなっている。この霊的単純さに入るためには、確かに、多くの道がある。しかし、ロザリオの祈りは、それ自体このうえもなく単純な祈りであるから、魂のうちに、この観想の心構えを養い、福音の秘義、あるいは信仰の真理に静かに心を向けることを助ける。長い間親しまれてきた古い習慣は、何連かロザリオの珠をつまぐりながら、聖母のご生涯のよろこびの「奥義」、苦しみの「奥義」あるいは栄えの「奥義」を黙想するよう勧めているのではないだろうか。ただ単にベルナデッタだけではなく、偉大な神秘家は、ロザリオの祈りに忠実であった。その人びとは、神についての鋭い感覚によって、最も美しい観想のうちに、またはその後に、絶えず主の祈り、聖母マリアへの祈りへと戻っていった。神ご自身に由来することを特長とする、これらの祈りに。

どれほど多くの魂が、霊的な熱心さの中で、自分たちが考え出すことができることばの貧しさを感じ、慣れ親しみながらも、汲み尽くし得ないほどの豊かさをもつ定形の祈りに頼ることの必要性を体験したことだろう。そして、それらの祈りをゆっくりと、心から繰り返し唱えることを、よろこびとしたことだろう。愛する者にとって、同じことばを繰り返すことは、決して単調さを感じさせるものではない。ある定形の祈りの中に、自分の思いが完全に言い表されているように感じるために、それを自分の祈りとするとき、その魂は、その同じ祈りを繰り返し唱えることに飽きることはない。

そのとき、ことばは問題ではない。大切な唯一のことは、魂の深い、熱烈な思い、魂全体をとらえてしまうようなその思いだけである。主の祈りや聖母マリアへの祈りとまったく一つになり、それらの祈りを自分の通常の呼吸、自分の愛の唯一の、絶え間ない表現とするところまでいきついた魂は、確かに、最も高い霊的な親しさのうちに、神とともに生きるようになる。

「単純さ」……。わたしたちは、しばしばこのことばを用いた。単純さは、神がともにおられ、働いておられることのしるしである。世界の中で、人びとの中で、一人ひとりの魂の中で。神は、「単純」である。それゆえ、神との親しい交わりに入るために、魂は単純さを保たなければならない。あるいは、種々のことに心が乱れているときには、再び単純さを取り戻さなければならない。

おとめマリア以上に、神との親しさを生きた人はだれもいない。最も感嘆すべき、超自然の特別な恵みに満たされていた聖母のご生涯の中で、確かに最もすばらしい恵みもまた、いわば最も単純な恵み、すなわち「無原罪のおん宿り」の恵みである。なんという深い沈黙！　なんという深い謙遜！　なんというすばらしい秘義、しかもどれほど深く神のうちに隠されていることだろう！　それに、わたしたちがこの驚くべき神秘に近づくことができる限りでは、聖母マリアと、三位一体の神の三つのペルソナとの間には、なんという親しさがみられることだろう！　この世の贖いのすべては、すでにそこにおいて始められている！

「光は闇の中で輝いている……」。ルルドにおいて、聖母はご自分の名を告げるために潜心し、ロザリオをもっておられる手を胸の上で組み合わせ、ただ一言で――その一言に魂のすべてをかけて――ご自分がだれであるか、また神がご自分の中で行われた不思議なみ業のすべて、わたしたちの信仰の秘義、そしてこの世の希望のすべてを、ベルナデッタに示された。「わたしは無原罪の宿りです」というただ一言をもって。

そして、この地上に生きる少女ベルナデッタは、ただロザリオの祈り――「恵みあふれる聖マリア」――をひたすら唱え続けながら、聖母にこたえることができるだけであった。

ヌヴェール　一九八三年十月七日

おわりに

ベルナデッタに聖母マリアがご出現になってから、今年でちょうど百五十年になります。昨年十二月八日から、世界のいたるところでこの出来事を記念して、種々の形の祝いが行われています。百五十周年を「記念し」、「祝う」こと、それは、ルルドの聖母ご出現の生きた証人として、この小さな少女に託された聖母のメッセージを今一度心の深みに刻み込みながら、ベルナデッタとともに、わたしたち自身が、現代世界の中でこのメッセージを生きるようにとの「呼びかけ」に、具体的にこたえることではないでしょうか?

「聖母がわたしをお選びになったのは、わたしがいちばん小さく、いちばん無知だからです。」

粉ひき屋の娘ベルナデッタは、貧しい人びと、小さくされている人びとが背負っている現実の「痛み」、父親の倒産のために社会の片隅に追いやられ、日々の糧にさえ事欠く家庭の貧困、病弱、十四歳になってもまだ小学校に行けず、読み書きもできない心の痛み、人びとからさげすまれ、無視される……現実の貧しさ、自分の存在の深みに刻印されている実存的な貧しさを体験しました。

しかし、「牢獄跡の一室（カショ）」で生きるスビルーの家族は、極貧の生活にもかかわらず固く一致していました。近所の人びとは、この家族が毎晩暖炉の前に集まって、大きな声で祈っていたと語っています。神に信頼する「貧しい者の祈り」、すなわち、わたしたちが三位一体の神の子であることを表す十字架のしるし、使徒信条、イエスが教えてくださった主の祈り、恵みあふれる聖マリアに対する天使の挨拶、そして天国の永遠の賛美である栄唱……それがベルナデッタが知っている祈りのすべてでした。

「わたしは、ロザリオの祈りしか知りませんでした」

と、彼女は言っています。

この唯一の祈り、ロザリオの珠をつまぐりながら、彼女は、御父の限りないいつくしみ、人類の贖いのために十字架上でご自身を明け渡されたかたの愛、貧しい人びとと深く連帯して生きることを学びました。

そして、十八回にわたる聖母マリアとの出会いをとおして、この根本的な体験はさらに深められていきました。

「そのかたは、人がだれか他の人に話しかけるときのように、じっとわたしを見つめてくださいました。」

「あのかたはわたしに、『わたしのために、十五日間ここに来ていただけるとうれしいのですが』とおっしゃいました。」

ご出現になった「婦人」のこの尊敬に満ちた姿をとおして、ベルナデッタは「神の御目の前に、人はだれでもかけがえのない大切な存在である」こと、特に、根本的な貧しさと欠如の痛みの中にある罪人に注がれる神のいつくしみの眼差しを深く悟りました。

「償い、償い、償い！　罪人のために、祈りなさい！」

第八回目のご出現のときに告げられたこの聖母の切なる呼びかけは、生涯ベルナデッタの心のうちに響き続けていました。

一八六六年七月七日に彼女が入会したヌヴェール愛徳修道会において、

「愛以外のいかなることにも、決してかかわってはなりません。不幸な人びと以外のことに、決して関心をもってはなりません」

という創立者の熱い願いを生きながら、ベルナデッタは、人間にいのちを回復させるために情熱を傾けてくださる御父のみ旨を全うするために、この世界の罪に引き裂かれながら、十字架の死にいたるまで、あますところなくご自分を明け渡されたかた、イエスの観想へと導かれていきます。主のみ心のうちに深く身を沈めながら、ベルナデッタは、マッサビエルで受けた聖母のメッセージが新たな深まりをもって自分に迫ってくるのを体験し、さらに深く罪人との連帯を生き、罪人の回心のために祈るよう招かれていると感じました。

「一瞬たりとも、愛さずに生きることはできません……おお、イエス、マリアよ、この世におけるわたしの慰めのすべては、あなたを愛し、罪人の回心のために苦しむことでありますように！」

罪人であるわたしたちを極みまで愛してくださったイエスとともに、イエスにおいて、「兄弟である罪人」のためにささげられたいけにえとして燃え尽きながら、イエスと同じ姿に変えられていくこと、これこそ、日々「貧しい者の祈り」ロザリオをつまぐりながら、ベルナデッタが聖母マリアから学び取った生きざまでした。

ルルドの聖母ご出現百五十周年にあたり、神の愛が拒否され、神が一人ひとりの深みに刻み込んでくださったいのちの尊厳と、その基本的人権が無視されているこの世界、非人間化をさらに深刻化するグローバリゼーションの危険にさらされている現代世界の中にあって、連帯の文化によって「まったく異なるグローバリゼーション」を築き上げていくために、ともに働かせていただく恵みを願いましょう。第九回目のご出現のときに示されたマリアの切なる願いにこたえ、ベルナデッタとともに、人間の幸せ、イエスがもたらされた平和の実現を妨げる「泥を取り除きながら」、すべての人が自分の心の奥底に秘められている「いのちの水の泉」を見いだすことができるように、祈り、勇気をもって歩み続けましょう。

二〇〇八年十二月八日　無原罪の聖マリアの祭日

ベルナデッタ列聖七十五年目の日に

ヌヴェール愛徳修道会会員　安藤敬子

注

＊印は訳者注

注＊1　牢獄跡の小さな部屋（Cachot）　ベルナデッタの父親、フランソワー・スビルーは、粉ひき屋であったが商売に失敗し、ボリーの粉ひき小屋を引き渡さなければならなくなった。引き続く失業のために、引越した借家からも追い出され、ついに、以前ほんとうの牢獄として使われていた家の一部屋——「汚くて、暗くて、人間の住めるところではない」と言われていた部屋——に住むこととなる。四・四メートル四方で二つのベッドがやっと入る広さであり、そこに親子六人が極貧の中に生活していた。聖母のご出現を受けたとき、ベルナデッタはここに住んでいた。ベルナデッタの生涯については、ルネ・ローランタン著、ミルサン／五十嵐茂雄共訳、ドン・ボスコ社編集部改訳『ベルナデッタ』ドン・ボスコ社、二〇〇四年（改訂版）参照。

注＊2　バルトレス（Bartrès）　ルルドから約四キロメートルの山手にある小さな村。母親の大やけどのために、生後一年もたたないうちに、ベルナデッタはここに送られ、約一年半の間、マリー・ラギュー・アラバンという乳母に育てられることとなった。

一八五七年の秋に、ベルナデッタは再び乳母のところに行き、しばらくの間羊の番や家事の手伝いをしていた。

注*3　病院付属の小さな学校　原文は"Hospice"。当時は、貧しい人びと、特に老人のための病院と、それに付属する小さな学校があり、これを"Hospice"または"Hospice-école"と呼んでいた。

注*4　ヌヴェール愛徳修道会本部修道院は、34 rue Saint-Gildard, Nevers, Nièvre, France にある。そのため、原文には、"Saint-Gildard"と書かれているが、訳語としては、前後関係に応じて、「ヌヴェール」あるいは「ヌヴェールにある本部修道院」とした。

注*5　ボリー（Boly）の粉ひき小屋　ルルドの村の中を流れるラパカ川の水を利用していた五つの水車小屋の一つ。ベルナデッタは、ここで、一八四四年一月七日に、フランソワー・スビルー（François SOUBIROUS）と、ルイズ・カステロ（Louise CASTEROT）の長女として誕生した。

注*6

あれ（Cela）　ベルナデッタは、一八五八年三月二十五日にその名前が明かされるときまで、ご出現になった不思議な「女のかた」が、だれであるのか知らなかった。人びとが、「そのかたは、聖母マリアかもしれない」と言っても、決してこれを肯定せず、いつもそのかたのことを、方言で、心をこめて、「あれ」（Aqueró）と呼んでいた。"Aqueró"は、アクセントのおき方によって二様に解される。

（1）"Aquéro"――第二音節にアクセントがおかれると、女性指示代名詞"celle-là"すなわち「あの女の人」という意味になる。これは、南フランスのオック語（langue d'oc）の方言の中に広く使用されている。

（2）"Aqueró"――最後の音節にアクセントがおかれると、中性指示代名詞"cela"すなわち「それ」あるいは「あれ」という意味になる。これは、ルルド固有の方言の中にみられるが、他の地方ではほとんど使用されていない。

ベルナデッタ自身は、どのように発音したのだろうか。ローランタン師はこれについて詳しく説明しているが、その考えを以下のように要約することができよう。あらゆる資料は、ベルナデッタが"Aqueró"「あれ」（cela）と言っていたことを証明しており、前者を支持する資料は一つもない。「人」ではなく、「もの」をさすために用いられているこの呼び方は、読者にとって驚きであるかもしれない。しかし、それは、ことばでは言い表すことができない何ものか、つまり「まったく異なる何ものか」(Tout Autre)に対する、ベルナデッタの深い尊敬の心を示すものであるといえよう。ベルナデッタがこの"Aquerò"ということばを使っていることは、神秘の世界、その霊的真正性に関する理解をもつ人びとに、深い感銘を与えるものである。(詳細は、*Vie de Bernadette.* R. Laurentin, Desclée de Brouwer, 1979, p.56 参照。)

注*7 詩編集　旧約聖書中の百五十の詩編を、教会の祈りとして朗唱または歌唱できるようにまとめたもの。「詩編集」は、初代教会のころから今日にいたるまで、教会典礼の中で大切な役割をもつものとして、重んじられてきた。

注8 これは、おそらく、二月二十四日に聖母が語られたことばである。

注*9 「山上の垂訓」の中の一つ、「真福八端」と呼ばれているものである。イエスは、この中で、真に「幸い」といわれるのはどのような人びとであるかを説明している。(マタイ5・3~12、ルカ6・20b~26参照)

注*10 『魂の日記』 日本語版では、安藤敬子訳『ベルナデッタ　魂の日記』ドン・ボスコ社、一九七九年、二〇〇〇年改訂増補版がある。フランス語版は、*Carnet de notes intimes de Bernadette Soubirous.* Couvent Saint-Gildard, Nevers, 1977.

注*11 スール・マリー・ベルナールは、修練期中、すなわち一八六六年十月二十五日に、病状が悪化し、死の危険があったために、司教の特別な許可を得て、「臨終の誓願」を立てた。しかし、その後回復したので、修練期を継続し、一八六七年十月三十日に改めて初誓願を立てた。

注*12 アルスの主任司祭　ジャン・バプティスト・マリー・ヴィアンネー（Jean-Baptiste Marie Vianney）（一七八六年―一八五九年）のこと。フランスの聖職者で、通常「アルスの主任司祭」（Curé d'Ars）と呼ばれている。一八一八年より、フランス中部のアルスで活躍し、聴罪司祭、説教家として知られている。厳しい祈りと苦行の生活をもって、非凡な司牧的働きをなし、フランス革命の余波を受けて荒廃しきっていたこの地方を根本的に改革した。

注13　ベルナデッタの霊的生活の中心点であるこの問題については、拙著 *Sainte Bernadette, une Vie eucharistique.* Desclée de Brouwer, 1981 参照。

注14　ベルナデッタとメール・ヴォーズーとの関係については、Mère Bordenave 著 *Sainte Bernadette, La confidente de l'Immaculée.* Couvent Saintè Gildard, Nevers, 1978 参照。

注*15　この点についての詳細な研究は、本書の著者による *Les écrits de Sainte Bernadette et sa voie spirituelle.* Ed. P. Lethielleux, 4° éd. 1981 参照。

注16　「神の恵みに十分こたえなかったという恐れ」からくるこの苦しみは、スール・マリー・ベルナールの神秘的な試練であったように思われる。この苦しみは、ベルナデッタが受けた、「罪人のために祈りなさい。罪人のために償いをしなさい」という使命と密接なかかわりをもっている。拙著 *Sainte Bernadette, une vie eucharistique* 参照。

注*17　注9参照。

著者　アンドレ・ラヴィエ（André Ravier S. J.）
イエズス会司祭、文学博士。
特に資料批判（ロヨラのイグナチオ、サレジオのフランシスコ、ベルナデッタ等）、
霊性の分野における研究の専門家。

主な著書（ベルナデッタに関する研究）
・*Les ecrits de Sainte Bernadette et sa voie spirituelle.* Lethielleux, 1981（2°éd.）
・*Bernadette Soubirous.* Le Centurion, 1979.
　邦訳：小林珍雄訳『聖ベルナデット』エンデルレ、1979
・*Carnet de notes intimes, Bernadette Soubirous.*（編）Couvent Saint-Gildard, 1977.
　邦訳：安藤敬子訳『ベルナデッタ 魂の日記』ドン・ボスコ社、1979、2000 改訂版
・*Bernadette d'apres ses lettres.*（編）Lethielleux, 1979 (1°éd. 1963).
・*Sainte Bernadette: Une vie eucharistique.* Desclée de Brouwer, 1981.

ベルナデッタとロザリオ

1984 年 6 月30日 初版発行
2008 年12月25日 第 2 版第 1 刷発行

著　者　アンドレ・ラヴィエ

訳　者　ヌヴェール愛徳修道会

発行者　松尾　貢

発行所　ドン・ボスコ社

〒 160-0004　東京都新宿区四谷 1-9-7
TEL 03-3351-7041　FAX 03-3351-5430

印刷所　日本ハイコム株式会社

落丁・乱丁本はお取り替えいたします。
ISBN978-4-88626-467-1 C0016